Alec
auitie

PaticiA

VA OÙ TON CŒUR
TE PORTE

SUSANNA TAMARO

VA OÙ TON CŒUR
TE PORTE

Traduit de l'italien par Marguerite Pozzoli

PLON
76, rue Bonaparte
Paris

TITRE ORIGINAL

Va' dove ti porta il cuore

ISBN Plon : 2-259-18113-9
ISBN Édition originale, Baldini & Castoldi, Milan : 88-859-8940-3

A Pietro

Ô Shiva, quelle est ta réalité ?
Quel est cet univers plein de stupeur ?
Quelles formes la semence engendre-t-elle ?
Qu'est-ce qui sert de moyeu à la roue de l'univers ?
Quelle est cette vie au-delà de la forme qui envahit les formes ?
Comment pouvons-nous y entrer pleinement, par-delà l'espace et le temps, les noms et les visages ?
Dissipe mes doutes !

Extrait d'un texte sacré du shivaïsme
du Cachemire.

Opicina, 16 novembre 1992

Tu es partie depuis deux mois et depuis deux mois, à part une carte postale dans laquelle tu m'informais que tu es toujours vivante, je suis sans nouvelles de toi. Ce matin, dans le jardin, je me suis arrêtée longuement devant ta rose. Bien que nous soyons déjà en plein automne, elle se détache avec sa couleur pourpre, solitaire et arrogante, sur le reste de la végétation désormais éteinte. Tu te souviens du jour où nous l'avons plantée ? Tu avais dix ans et, depuis peu, tu lisais *Le Petit Prince*. C'est moi qui te l'avais offert pour te récompenser d'être passée dans la classe supérieure. Tu avais été émerveillée par cette histoire. De tous les personnages, tes préférés étaient la rose et le renard ; tu n'aimais pas le baobab, le serpent, l'aviateur, ni tous les hommes vides et présomptueux qui erraient, assis sur leurs minuscules planètes. C'est ainsi qu'un matin, alors que nous prenions notre petit déjeuner, tu as dit : « Je veux une rose. » Je t'ai fait remarquer que nous en avions déjà beaucoup, et tu as répondu : « J'en veux une qui ne soit qu'à moi, je veux m'en occuper, je veux la faire pousser. » Naturellement, en plus de la rose, tu voulais aussi un renard. Avec l'astuce des enfants, tu avais placé le désir le plus simple devant celui qui était presque irréalisable. Comment aurais-je pu te refuser le renard après t'avoir concédé la rose ? Nous avons discuté longuement sur ce point et, à la fin, nous sommes tombées d'accord sur un chien.

Avant d'aller le chercher, tu n'as pas fermé l'œil de la nuit. Toutes les demi-heures tu frappais à ma porte et tu disais : « Je n'arrive pas à dormir. » Le matin, à sept heures, tu avais déjà pris ton petit déjeuner, tu t'étais lavée et habillée ; tu avais enfilé ton manteau et tu m'attendais, assise dans un fauteuil. A huit heures et demie, nous étions devant l'entrée du chenil encore fermé. Tu regardais à travers la grille et tu disais : « Comment je saurai lequel est vraiment le mien ? » Il y avait dans ta voix une grande anxiété. Moi je te rassurais, je disais : ne t'en fais pas, rappelle-toi comment le Petit Prince a apprivoisé le renard.

Nous sommes retournées au chenil trois jours de suite. Il y avait là-dedans plus de deux cents chiens et tu voulais les voir tous. Tu t'arrêtais devant chaque cage, tu restais là immobile et concentrée, dans une indifférence apparente. Pendant ce temps, les chiens se jetaient contre le grillage, aboyaient, bondissaient, essayaient d'écarter les mailles avec leurs pattes. La responsable du chenil était avec nous. Te prenant pour une petite fille comme les autres, elle te montrait les plus beaux spécimens pour t'influencer : « Regarde ce cocker », te disait-elle. Ou bien : « Qu'est-ce que tu penses de ce colley ? » Pour toute réponse, tu poussais une sorte de grognement et tu avançais sans l'écouter.

Buck, nous l'avons rencontré le troisième jour de ce chemin de croix. Il se trouvait dans un box en retrait, où étaient placés les chiens convalescents. Quand nous sommes arrivées devant le grillage, au lieu d'accourir vers nous avec tous les autres, il est resté assis à sa place sans même lever la tête. « Celui-là, t'es-tu écriée en le montrant du doigt. Je veux ce chien-là. » Tu te souviens du visage stupéfait de la femme ? Elle n'arrivait pas à comprendre pourquoi tu voulais devenir propriétaire de cet affreux cabot. Eh bien, parce que Buck était de petite taille mais que, dans son format réduit, il renfermait presque toutes les races du monde. Une tête de loup, les oreilles longues et molles d'un chien de chasse, les pattes aussi élancées que celles d'un basset, la queue en panache d'un renard et la robe noire et

13

fauve d'un doberman. Quand nous sommes allées au bureau pour signer les papiers, l'employé nous a raconté son histoire. Il avait été jeté d'une voiture en pleine vitesse, au début de l'été. Dans sa chute, il s'était grièvement blessé et c'est pour cette raison qu'une de ses pattes postérieures pendait, inerte.

A présent, Buck est ici à côté de moi. Pendant que j'écris, il pousse un soupir de temps à autre et approche le bout de son museau de ma jambe. Désormais, son museau et ses oreilles sont devenus presque blancs et sur ses yeux, depuis quelque temps, s'est posé ce voile qui apparaît toujours sur les yeux des vieux chiens. Quand je le regarde, je suis émue. C'est comme si tout près de moi se trouvait une partie de toi, celle que je préfère, celle qui, il y a bien des années, parmi les deux cents occupants du refuge, a su choisir le plus malheureux et le plus laid.

Ces derniers mois, j'ai erré en solitaire dans la maison ; les années d'incompréhension et de querelles de notre cohabitation ont disparu. Les souvenirs qui m'environnent sont les souvenirs de toi petite fille, petit animal vulnérable et perdu. C'est à elle que j'écris, pas à la personne pleine de défenses et arrogante des derniers temps. Cette idée, c'est la rose qui me l'a donnée. Ce matin, quand je suis passée près d'elle, elle m'a dit : « Prends du papier et écris-lui une lettre. » Je sais qu'au moment du départ, nous avions convenu de ne pas nous écrire, et je respecte ce pacte, à contrecœur. Ces lignes ne s'envoleront jamais pour te rejoindre en Amérique. Je n'y serai plus à ton retour, ce sont elles qui t'attendront ici. Pourquoi je dis cela ? Parce qu'il y a moins d'un mois, pour la première fois de ma vie, j'ai été gravement malade. Et maintenant je sais que, parmi toutes les éventualités, figure aussi celle-ci : dans six ou sept mois, je pourrais ne plus être là pour t'ouvrir la porte, te serrer dans mes bras. Il y a longtemps, une amie me disait que, chez les gens qui n'ont jamais rien eu, la maladie, quand elle survient, se manifeste de façon immédiate et violente. C'est exactement ce qui m'est arrivé : un matin, pendant que j'arrosais ta fleur, quelqu'un a soudain éteint la lumière. Si la femme de M. Razman ne m'avait pas vue à travers la clôture qui sépare nos jardins, il est presque certain qu'à l'heure actuelle tu serais orpheline. Orpheline ? On dit comme ça quand meurt une grand-mère ? Je n'en suis pas tout à fait sûre. Peut-être les grands-parents sont-ils considérés comme si accessoires qu'aucun terme ne leur est réservé en cas de disparition. De ses grands-parents, on n'est ni orphelin ni veuf. Par un mouvement naturel, on les laisse en chemin, tout comme on perd son parapluie dans la rue, par distraction.

15

Quand je me suis réveillée à l'hôpital, je ne me souvenais absolument de rien. Les yeux encore fermés, j'avais la sensation qu'il m'était poussé deux moustaches longues et fines, des moustaches de chat. Dès que j'ai ouvert les yeux, je me suis rendu compte qu'il s'agissait de deux petits tubes en plastique ; ils sortaient de mon nez et bordaient mes lèvres. Autour de moi il n'y avait que des machines étranges. Au bout de quelques jours, on m'a mise dans une chambre normale, où se trouvaient déjà deux autres personnes. Pendant que j'étais là, M. Razman est venu me rendre visite avec sa femme un après-midi. « Si vous êtes encore en vie, m'a-t-il dit, c'est grâce à votre chien qui aboyait comme un fou. »

Alors que j'avais déjà commencé à me lever, un jeune médecin, que j'avais vu d'autres fois pendant les visites, est entré dans ma chambre. Il a pris une chaise et s'est assis auprès de mon lit. « Étant donné que vous n'avez pas de famille qui puisse s'occuper de vous et décider pour vous, a-t-il dit, il faut que je vous parle directement et avec franchise. » Il parlait, et pendant qu'il parlait, je le regardais. Il avait les lèvres très minces et, comme tu le sais, je n'ai jamais aimé les gens aux lèvres minces. A l'entendre, mon état de santé était si grave que l'on ne pouvait m'autoriser à rentrer chez moi. Il m'a cité le nom de deux ou trois maisons de retraite avec assistance médicale, où je pourrais aller vivre. A l'expression de mon visage il a dû comprendre quelque chose, parce qu'il a aussitôt ajouté : « N'allez pas imaginer un vieil hospice, aujourd'hui tout est différent : il y a des pièces lumineuses entourées de grands jardins où l'on peut se promener. – Docteur, lui ai-je alors demandé, vous connaissez les Esquimaux ? – Bien sûr que je les connais, a-t-il répondu en se levant. – Voyez-vous, je veux mourir comme eux, et, comme il n'avait pas l'air de comprendre, j'ai ajouté : Je préfère tomber en piquant du nez dans les courgettes de mon potager plutôt que de vivre une année de plus clouée dans un lit, dans une chambre aux murs blancs. » A ce moment-là, il était déjà sur le pas de la porte. Il souriait méchamment. « Beaucoup de gens disent ça, a-t-il lancé avant de disparaître, mais au dernier moment ils accourent tous ici pour se faire soigner et ils tremblent comme des feuilles. »

Trois jours après, j'ai signé un papier ridicule dans lequel je déclarais que, si par hasard je venais à mourir, la responsabilité retomberait sur moi et sur moi seule. Je l'ai remis à une jeune infirmière qui avait une petite tête et deux énormes boucles d'oreilles en or, après quoi, mes quelques affaires rassemblées dans un sac en plastique, je me suis dirigée vers la station de taxis.

Dès que Buck m'a vue apparaître devant le portail, il a commencé à courir en rond comme un fou ; puis, pour manifester son bonheur, il a dévasté deux ou trois plates-bandes en aboyant. Pour une fois je n'ai pas eu le cœur de le gronder. Quand il est venu près de moi avec sa truffe sale de terre, je lui ai dit : « Tu as vu, mon vieux ? Nous voilà de nouveau ensemble », et je l'ai gratté derrière les oreilles.

Les jours suivants, je n'ai rien fait ou presque. Depuis l'accident, mon côté gauche ne répond plus comme autrefois aux ordres que je lui donne. Ma main, surtout, est devenue très lente. Comme je suis furieuse qu'elle ait le dessus, je fais tout pour l'utiliser plus que l'autre. Je me suis attaché un petit ruban rose au poignet, si bien que, chaque fois que je dois prendre quelque chose, cela me rappelle que je dois utiliser la main gauche au lieu de la droite. Tant que le corps fonctionne, on ne se rend pas compte qu'il peut être un si grand ennemi ; si l'on renonce à la volonté de s'opposer à lui, ne serait-ce qu'un instant, on est perdu.

A tout hasard, vu mon autonomie réduite, j'ai donné un double des clés à la femme de Walter. C'est elle qui passe me voir tous les jours et elle m'apporte tout ce dont j'ai besoin.

Pendant que je me promenais entre la maison et le jardin, ton souvenir est devenu insistant, une véritable obsession. A plusieurs reprises, je suis allée jusqu'au téléphone et j'ai soulevé le combiné, décidée à t'envoyer un télégramme. Mais chaque fois, dès que le standard répondait, je changeais d'avis. Le soir, assise dans un fauteuil – devant moi le vide et tout autour, le silence – je me demandais ce qui était le mieux. Le mieux pour toi, naturellement. Pour moi, bien sûr, ce serait beaucoup plus beau si je m'en allais avec toi à mes côtés. Je suis sûre que, si je t'avais informée de ma maladie, tu aurais interrompu ton séjour en Amérique et tu te serais précipitée ici. Et après ? Après, j'aurais peut-être vécu encore trois, quatre ans, peut-être dans un fauteuil roulant, peut-être hébétée, et toi, par devoir, tu m'aurais assistée. Tu l'aurais fait avec dévouement, mais au fil du temps, ce dévouement se serait transformé en rage, en rancœur. Rancœur parce que les années auraient passé et que tu aurais gâché ta jeunesse ; parce que mon amour, avec l'effet d'un boomerang, aurait enfermé ta vie dans une impasse. C'est ce que disait au fond de moi la voix qui ne voulait pas t'appeler. Dès que je décidais qu'elle avait raison, aussitôt dans mon esprit s'élevait une voix qui la contredisait. Que t'arriverait-il, me demandais-je, si au moment d'ouvrir la porte, au lieu de trouver Buck et moi tout joyeux, tu trouvais la maison vide, inhabitée depuis longtemps ? Existe-t-il quelque chose de plus terrible qu'un retour qui ne peut s'accomplir ? Si tu avais reçu là-bas un télégramme annonçant ma disparition, n'aurais-tu pas pensé, peut-être, à une sorte de trahison ? A une vengeance ? Étant donné que les derniers mois tu avais été très désagréable, je te punissais en m'en allant sans crier gare. Cela n'aurait pas été un boomerang mais un abîme, je crois qu'il est presque impossible de survivre à ce genre de chose. Ce que tu aurais voulu dire à la personne qui t'est chère reste à jamais à l'intérieur de toi ; et elle, elle est là, sous terre, et tu ne peux plus la regarder dans les yeux, l'embrasser, lui dire ce que tu ne lui avais pas encore dit.

Les jours passaient et je ne prenais pas la moindre décision. Et puis, ce matin, la rose m'a soufflé une idée. Écris-lui une lettre, le récit de tes journées, qui continuera à lui tenir compagnie. Et me voici donc dans la cuisine, un de tes vieux cahiers devant moi, en train de mordiller mon stylo comme un enfant qui a du mal à faire ses devoirs. Un testament ? Pas vraiment, plutôt quelque chose qui te suivra au fil des ans, que tu pourras lire chaque fois que tu éprouveras le besoin de me sentir près de toi. Ne crains rien, je ne veux ni pontifier ni t'attrister, juste bavarder un peu, avec l'intimité qui nous liait autrefois, et que nous avons perdue ces dernières années. Pour avoir vécu longtemps et avoir laissé derrière moi beaucoup de personnes, je sais désormais que les morts pèsent moins par leur absence que par ce qui – entre eux et nous – n'a pas été dit.

Vois-tu, j'ai été amenée à te servir de mère alors que je n'étais plus toute jeune, à l'âge où d'habitude on n'est que grand-mère. Il y avait à cela bien des avantages. Des avantages pour toi, parce qu'une grand-mère-maman est toujours plus attentive et plus gentille qu'une maman-maman, et des avantages pour moi parce que, au lieu de gâtifier avec celles de mon âge entre une canasta et une matinée au théâtre, j'ai été de nouveau entraînée, avec violence, dans le flux de la vie. A un moment donné, pourtant, quelque chose s'est cassé. Ce n'était ni ma faute ni la tienne, juste la loi de la nature.

L'enfance et la vieillesse se ressemblent. Dans les deux cas, pour des raisons différentes, on est plutôt désarmé, on n'est pas encore – ou l'on n'est plus – des participants à la vie active, et cela permet de vivre avec une sensibilité dénuée de schémas, ouverte. C'est pendant l'adolescence que commence à se former autour de notre corps une cuirasse invisible. Elle se forme pendant l'adolescence et elle continue à s'épaissir pendant tout l'âge adulte. Sa croissance ressemble un peu à celle des perles, plus la blessure est large et profonde, plus la cuirasse qui se développe autour est solide. Mais après, avec le temps,

21

comme un vêtement que l'on a trop porté, elle commence à s'user aux points où elle sert le plus, elle laisse voir sa trame, elle se déchire soudain à la suite d'un mouvement brusque. Au début tu ne t'aperçois de rien, tu es convaincue que la cuirasse t'enveloppe encore entièrement jusqu'à ce qu'un jour, à l'improviste, devant une chose toute bête tu te retrouves en train de pleurer comme un enfant, sans savoir pourquoi.

Ainsi, quand je dis qu'entre toi et moi a surgi une divergence naturelle, c'est exactement ce que je veux dire. A l'époque où ta cuirasse a commencé à se former, la mienne était déjà en lambeaux. Toi, tu ne supportais pas mes larmes, et moi, je ne supportais pas ta dureté soudaine. Bien que préparée au fait que tu changerais de caractère avec l'adolescence, une fois que le changement s'est produit il m'a été très difficile de le supporter. Brusquement, il y avait une personne nouvelle devant moi, et cette personne, je ne savais plus comment la prendre. Le soir, dans mon lit, quand je réfléchissais et que je faisais le point, j'étais heureuse de ce qui t'arrivait. Je me disais : ceux qui traversent indemnes leur adolescence ne deviendront jamais réellement des adultes. Le matin pourtant, quand tu me claquais la première porte à la figure, quelle tristesse, quelle envie de pleurer ! L'énergie nécessaire pour te tenir tête, je n'arrivais à la trouver nulle part. Si jamais tu parviens à quatre-vingts ans, tu comprendras qu'à cet âge on se sent comme des feuilles à la fin de septembre. La lumière du jour dure moins longtemps et l'arbre, tout doucement, commence à rassembler en lui toutes les substances nutritives. Azote, chlorophylle et protéines sont aspirés par le tronc et avec eux s'en vont également le vert, l'élasticité. On est encore suspendu là-haut mais on sait qu'il n'y en a plus pour longtemps. L'une après l'autre tombent les feuilles voisines, tu les regardes tomber, tu vis dans la terreur que le vent se lève. Pour moi, le vent, c'était toi, la vitalité querelleuse de ton adolescence. Tu ne t'en es jamais rendu compte, mon trésor ? Nous avons vécu sur le même arbre, mais à des saisons si différentes.

Je me souviens du jour de ton départ : comme nous étions nerveuses, hein ? Tu n'avais pas voulu que je t'accompagne à l'aéroport, et chaque fois que je te rappelais les choses à ne pas oublier tu me répondais : « Je vais en Amérique, pas dans le désert. » Sur le pas de la porte, quand je t'ai crié de ma voix affreusement stridente : « Prends soin de toi », sans même te retourner tu m'as saluée en criant : « Prends soin de Buck et de la rose. »

Sur le moment, j'ai été un peu déçue par ce salut. En vieille sentimentale que je suis, je m'attendais à quelque chose de différent et de

23

plus banal, un baiser ou une phrase affectueuse. Le soir seulement, alors qu'incapable de m'endormir je tournais en robe de chambre à travers la maison vide, j'ai compris que prendre soin de Buck et de la rose signifiait prendre soin de la partie de toi qui continuait à vivre à mes côtés, la partie de toi qui est heureuse. Et j'ai également compris que, dans la sécheresse de cet ordre, il n'y avait pas d'insensibilité mais la tension extrême de quelqu'un au bord des larmes. C'est la cuirasse dont je parlais tout à l'heure. La tienne est encore si étroite que tu ne respires presque pas. Tu te souviens de ce que je te disais les derniers temps ? Les larmes qu'on retient se déposent sur le cœur, avec le temps elles forment une croûte et le paralysent, comme le calcaire qui entartre les engrenages de la machine à laver et les paralyse.

Je sais, mes exemples tirés de l'univers domestique te font soupirer d'impatience au lieu de t'amuser. Résigne-toi : chacun tire son inspiration du monde qu'il connaît le mieux.

A présent il faut que je te quitte. Buck soupire et me regarde avec des yeux implorants. En lui aussi se manifeste la régularité de la nature. A chaque saison, il connaît l'heure de sa pâtée avec la précision d'une montre suisse.

18 novembre

Cette nuit, il a plu très fort. La pluie était si violente que je me suis réveillée plusieurs fois à cause du bruit qu'elle faisait en frappant les volets. Ce matin, quand j'ai ouvert les yeux, convaincue qu'il faisait encore mauvais temps, je me suis longuement prélassée sous les couvertures. Comme les choses changent avec les années ! A ton âge j'étais une sorte de loir, si on ne me secouait pas, je pouvais dormir jusqu'à l'heure du déjeuner. Maintenant au contraire, je suis toujours réveillée avant l'aube, si bien que les journées deviennent très longues, interminables. Il y a de la cruauté dans tout cela, non ? Et puis les heures de la matinée sont les plus terribles, il n'y a rien qui aide à se distraire, tu restes là et tu sais que tes pensées ne peuvent faire que marche arrière. Les pensées d'un vieillard ignorent le futur, elles sont presque toujours tristes, sinon tristes, mélancoliques. Je me suis souvent

interrogée sur cette bizarrerie de la nature.
L'autre jour, à la télévision, j'ai vu un documen-
taire qui m'a fait réfléchir. Il parlait des rêves des
animaux. Dans l'échelle zoologique, depuis les
oiseaux jusqu'aux plus gros animaux, toutes les
bêtes rêvent. Ils rêvent tous, mésanges et
pigeons, écureuils et lapins, chiens et vaches cou-
chées dans les prés. Ils rêvent, mais pas tous de la
même façon. Les animaux qui, par nature, sont
surtout des proies font des rêves brefs, plutôt que
des rêves à proprement parler ce sont des appari-
tions. Les prédateurs, au contraire, font des rêves
longs et compliqués. « Pour les animaux, disait
le commentateur, l'activité onirique est une
manière d'organiser leurs stratégies de survie,
ceux qui chassent doivent sans cesse élaborer de
nouveaux moyens de se procurer de la nourriture, ceux qui sont chassés – et ils trouvent habituellement leur nourriture tout près d'eux, sous
forme d'herbe – doivent uniquement songer à la
façon la plus rapide de fuir. » Bref, l'antilope,
dans son sommeil, voit devant elle la savane à
perte de vue ; le lion au contraire, dans une répé-
tition de scènes continuelles et variées, voit
toutes les choses qu'il devra faire pour réussir à
manger l'antilope. Ça doit être ça, me suis-je dit,
jeune on est carnivore, vieux, herbivore. Parce
que, quand on est vieux, non seulement on dort
peu mais on ne rêve pas, ou si on rêve on ne s'en

26

souvient pas. Les enfants et les jeunes rêvent davantage et les rêves ont le pouvoir de déterminer l'humeur de la journée. Tu te souviens comme tu pleurais dès ton réveil, les derniers mois ? Tu restais là, assise devant ton bol de café, et des larmes silencieuses coulaient sur tes joues. Je te demandais alors : « Pourquoi pleures-tu ? » et toi, désespérée et rageuse, tu disais : « Je ne sais pas. » A ton âge, on doit mettre de l'ordre à l'intérieur de soi, on a des projets et ils comportent des incertitudes. L'inconscient ignore l'ordre et la logique, au contenu de la journée, gonflé et déformé, il mêle les aspirations plus profondes, parmi celles-ci il glisse les besoins corporels. Ainsi, si l'on a faim, on rêve que l'on se trouve assis à table et que l'on n'arrive pas à manger, si l'on a froid, que l'on se trouve au pôle Nord sans manteau, si l'on a essuyé une impolitesse on devient des guerriers assoiffés de sang.

Quels rêves fais-tu là-bas parmi les cactus et les cow-boys ? J'aimerais le savoir. Est-ce que j'y figure parfois, moi aussi, habillée en Peau-Rouge ? Buck s'y trouve-t-il, sous une dépouille de coyote ? Ressens-tu de la nostalgie ? Penses-tu à nous ?

Hier soir, tu sais, pendant que je lisais assise dans mon fauteuil, j'ai entendu soudain dans la pièce un bruit rythmique ; j'ai regardé par-dessus mon livre et j'ai vu Buck qui, en dormant, battait le sol de sa queue. A l'expression béate de sa tête, je suis sûre qu'il te voyait devant lui, tu venais peut-être de rentrer et il t'accueillait joyeusement, ou bien il se souvenait d'une promenade particulièrement belle que vous avez faite ensemble. Les chiens sont si perméables aux sentiments humains : à force de vivre ensemble depuis la nuit des temps, nous sommes devenus presque pareils. C'est pour cela que beaucoup de gens les détestent. Ils voient trop de choses d'eux-mêmes reflétées dans leur regard tendrement vil, des choses qu'ils préféreraient ignorer. Buck rêve souvent de toi en ce moment. Moi je n'y arrive pas, ou je rêve peut-être, mais je suis incapable de m'en souvenir.

Quand j'étais petite, une sœur de mon père, qui était veuve depuis peu, a vécu chez nous pendant un moment. Elle était passionnée de spiritisme et, dès que mes parents ne me voyaient pas, nous nous cachions dans les recoins les plus sombres et elle m'instruisait sur les pouvoirs extraordinaires de l'esprit. « Si tu veux entrer en contact avec une personne qui est loin, me disait-elle, tu dois serrer dans ta main une photo d'elle, faire une croix composée de trois pas et dire : me voici, je suis là. » Avec cette méthode, d'après elle, je pourrais communiquer par télépathie avec la personne désirée.

Cet après-midi, avant de me mettre à écrire,

j'ai fait exactement ça. Il était à peu près cinq heures, chez toi ce devait être le matin. M'as-tu vue ? Entendue ? Moi, je t'ai aperçue dans un de ces bars pleins de lumière et de carrelages où l'on mange des sandwiches avec des boulettes de viande à l'intérieur, je t'ai immédiatement distinguée dans cette foule bigarrée parce que tu portais le dernier pull-over que je t'ai tricoté, celui avec les cerfs rouges et bleus. Mais l'image a été si brève et si exagérément semblable à celle des feuilletons télévisés que je n'ai pas eu le temps de voir l'expression de tes yeux. Es-tu heureuse ? C'est cela, par-dessus tout, qui me tient à cœur.

Tu te souviens des discussions que nous avons eues avant de décider s'il était utile ou non que je finance ce long séjour d'études à l'étranger ? Tu soutenais que c'était indispensable, que pour grandir et t'ouvrir l'esprit tu avais besoin de partir, de quitter le milieu asphyxiant dans lequel tu avais été élevée. Tu venais de finir tes études secondaires et tu hésitais, dans l'obscurité la plus totale, sur ce que tu ferais une fois devenue adulte. Petite, tu avais de nombreuses passions : tu voulais devenir vétérinaire, explorateur, médecin pour les enfants pauvres. De ces désirs, il n'est pas resté la moindre trace. L'ouverture initiale dont tu avais fait preuve envers tes semblables a progressivement disparu ; ce qui était philanthropie, désir de communion, est devenu en un rien

de temps cynisme, solitude, concentration obses-
sionnelle sur ton destin malheureux. Si à la télévision il t'arrivait de voir des informations particulièrement cruelles, tu te moquais de mes
paroles de compassion en disant : « A ton âge, tu
t'étonnes de quoi ? Tu ne sais pas encore que
c'est la sélection naturelle qui gouverne le
monde ? »

Les premières fois, je restais le souffle coupé
en entendant de telles remarques, j'avais l'impression d'avoir un monstre à mes côtés ; je t'ob-
servais du coin de l'œil et je me demandais d'où
tu sortais, si c'était ça, par mon exemple, que je
t'avais appris. Je ne t'ai jamais répondu parce
que je sentais que le temps du dialogue était fini,
quoi que j'eusse dit nous nous serions heurtées.
D'un côté j'avais peur de ma fragilité, de perdre
mes forces inutilement, de l'autre je sentais que
tu cherchais l'affrontement, qu'après le premier
il y en aurait d'autres, de plus en plus fréquents,
de plus en plus violents. Sous tes mots je sentais
bouillir ton énergie, une énergie arrogante, prête
à exploser et retenue à grand-peine ; ma façon
d'arrondir les angles, ma feinte indifférence face
à tes attaques t'obligeraient à chercher d'autres
exutoires.

Alors tu m'as menacée de partir, de disparaître
de ma vie sans donner de nouvelles. Tu t'attendais peut-être à du désespoir, aux humbles sup-

plications d'une vieille. Quand je t'ai dit que
partir était une excellente idée, tu as commencé à
vaciller, tu avais l'air d'un serpent qui, ayant
brusquement levé la tête, gueule ouverte et prêt à
l'attaque, ne voit plus devant lui l'objet contre
lequel il voulait se jeter. Tu as commencé à com-
poser, à faire des propositions, tu en as fait plusieurs, tu as hésité jusqu'au jour où, avec une
assurance neuve, tu m'as annoncé en buvant ton
café : « Je pars en Amérique. »

J'ai accueilli cette décision comme les autres,
avec un intérêt aimable. Je ne voulais pas, par
mon approbation, te pousser à des choix précipi-
tés, auxquels tu n'aurais pas cru profondément.
Les semaines suivantes, tu as continué à me parler de ton projet américain. « Si je vais un an là-
bas, disais-tu avec entêtement, au moins j'ap-
prendrai une langue et je ne perdrai pas de
temps. » Tu te mettais dans une colère noire
quand je te faisais remarquer que perdre du
temps, ce n'est pas grave. Mais tu as atteint le
paroxysme de la colère quand je t'ai dit que la vie
n'est pas une course mais un tir à la cible ; ce qui
compte, ce n'est pas d'épargner du temps, mais
de savoir trouver un centre. Il y avait sur la table
deux tasses que tu as aussitôt fait valser en les
balayant du bras, puis tu as éclaté en sanglots.
« Tu es bête, as-tu dit en cachant ton visage dans
tes mains. Tu ne comprends pas que c'est juste-

ment ce que je veux ? » Pendant des semaines nous nous sommes comportées comme deux soldats qui, après avoir enterré une mine dans un champ, prennent garde à ne pas marcher dessus. Nous savions où elle se trouvait et nous marchions en nous tenant à distance, en faisant comme si la raison d'avoir peur était ailleurs. Quand elle a explosé et que tu as sangloté en me répétant : tu ne comprends rien, tu ne comprendras jamais rien, j'ai dû faire des efforts énormes pour que tu ne sentes pas mon désarroi. Ta mère, la façon dont elle t'a conçue, sa mort, de tout cela je ne t'ai jamais parlé, et le fait que je me taise là-dessus a pu te faire croire que, pour moi, cela n'existait pas, qu'elle était sans importance. Mais ta mère était ma fille, peut-être ne tiens-tu pas compte de cela. Ou peut-être en tiens-tu compte, mais au lieu d'en parler, tu le gardes au fond de toi, sinon je ne pourrais pas m'expliquer certains de tes regards, certains mots chargés de haine. D'elle, à part le vide qu'elle a laissé, tu n'as pas de souvenirs : tu étais trop petite quand elle est morte. Moi, au contraire, je conserve dans ma mémoire trente-trois ans de souvenirs, trente-trois plus les neuf mois où je l'ai portée dans mon ventre.

Comment peux-tu penser que ce problème me laisse indifférente ?

Si je n'ai pas abordé la question plus tôt, c'est

seulement par pudeur et à cause d'une bonne dose d'égoïsme. Pudeur, parce que, inévitablement, en parlant d'elle j'aurais dû parler de moi, de mes fautes présumées ou réelles ; égoïsme parce que j'espérais que mon amour serait si grand qu'il pallierait l'absence du sien, qu'il t'empêcherait d'éprouver de la nostalgie pour elle et de te demander : « Qui était ma mère, pourquoi est-elle morte ? »

Tant que tu as été petite, nous avons été heureuses ensemble. Tu étais une enfant pleine de joie de vivre, mais dans ta joie il n'y avait rien de superficiel, de convenu. C'était une joie sur laquelle veillait toujours, aux aguets, l'ombre de la réflexion, tu passais des éclats de rire au silence avec une facilité surprenante. « Qu'est-ce qu'il y a, à quoi tu penses ? » demandais-je, et alors toi, comme si tu parlais de ton goûter, tu me répondais : « Je pense : est-ce que le ciel a une fin ou il continue pour toujours? » J'étais fière que tu sois ainsi, ta sensibilité ressemblait à la mienne, je ne me sentais pas adulte ou distante mais tendrement complice. J'avais l'illusion, je voulais avoir l'illusion, qu'il en serait ainsi à jamais. Malheureusement, nous ne sommes pas des êtres enfermés dans des bulles de savon, errant béatement dans l'espace ; il y a un avant et un après dans nos vies et cet avant et cet après piègent nos destins, se posent sur nous comme un

— filet sur sa proie. On dit que les fautes des pères retombent sur les fils. C'est vrai, c'est archi-vrai, les fautes des pères retombent sur les fils, celles des grands-parents sur les petits-enfants, celles des arrière-grands-parents sur les arrière-petits-enfants. Il y a des vérités qui apportent un sentiment de libération et d'autres qui imposent le sens du terrible. Celle-là appartient à la seconde catégorie. Où finit la chaîne des fautes ? Avec Caïn ? Est-il possible que tout remonte aussi loin ? Y a-t-il quelque chose derrière tout cela ? Un jour, dans un livre indien, j'ai lu que le destin est tout-puissant et que l'effort de la volonté n'est qu'un prétexte. Après cette lecture, une grande paix est descendue en moi. Mais dès le lendemain, quelques pages plus loin, j'ai trouvé un passage disant que le destin n'est que le résultat de nos actions passées, c'est nous, de nos propres mains, qui forgeons notre destin. Ainsi, je suis revenue au point de départ. Où est le bout de

— l'écheveau ? me suis-je demandé. Quel est le fil conducteur ? Est-ce un fil ou une chaîne ? Peut-on le couper, le casser, ou nous enserre-t-il pour toujours ?

En attendant, c'est moi qui coupe court. Ma tête n'est plus comme avant, les idées sont toujours là, bien sûr, ce n'est pas ma façon de penser qui a changé mais ma capacité à soutenir un effort prolongé. A présent, je suis fatiguée, la tête me tourne comme quand j'étais jeune et que j'essayais de lire un livre de philosophie. Être, ne pas être, immanence... au bout de quelques pages j'éprouvais le même genre d'étourdissement que quand on voyage en autocar sur des routes de montagne. Je te quitte un moment, je vais m'abrutir un peu devant la petite boîte aimée et haïe qui se trouve au salon.

20 novembre

Me revoilà, troisième jour de notre rencontre.
Ou plutôt, quatrième jour et troisième rencontre.
Hier, j'étais si fatiguée que je n'ai rien pu écrire
ni lire. J'étais inquiète, je ne savais pas quoi faire
et j'ai tourné en rond toute la journée, entre la
maison et le jardin. L'air était assez doux et pendant les heures les plus chaudes je me suis assise
sur le banc, près du forsythia. Autour de moi, la
pelouse et les plates-bandes étaient dans le plus
grand désordre. En les regardant, je me suis souvenue de notre dispute au sujet des feuilles
mortes. C'était quand ? L'année dernière ? Il y a
deux ans ? J'avais eu une bronchite dont je tar-
dais à me remettre, les feuilles jonchaient déjà la
pelouse, elles tourbillonnaient çà et là, au gré du
vent. En me mettant à la fenêtre, j'avais été envahie par une grande tristesse, le ciel était sombre,
dehors tout respirait l'abandon. Je t'ai rejointe
dans ta chambre, tu étais allongée sur le lit, les

écouteurs collés aux oreilles. Je t'ai priée de ratisser les feuilles. Pour me faire entendre, j'ai dû répéter la phrase plusieurs fois, d'une voix de plus en plus forte. Tu as haussé les épaules en disant : « Et pourquoi donc ? Dans la nature, personne ne les ramasse, elles restent là à pourrir et c'est très bien comme ça. » A l'époque, la nature était ta grande alliée, tu arrivais à tout justifier grâce à ses lois inébranlables. Au lieu de t'expliquer qu'un jardin, c'est de la nature apprivoisée, de la nature-chien qui tous les ans ressemble un peu plus à son maître et qui, comme un chien justement, a besoin de soins continuels, je me suis retirée au salon sans rien ajouter. Un peu plus tard, quand tu es passée devant moi pour aller prendre de la nourriture dans le frigo, tu as vu que je pleurais mais tu n'y as pas accordé d'importance. Ce n'est qu'à l'heure du dîner, quand tu as déboulé une nouvelle fois de ta chambre en disant : « Qu'est-ce qu'on mange ? » que tu t'es aperçue que j'étais toujours là et que je pleurais toujours. Alors, tu es allée dans la cuisine et tu as commencé à t'affairer autour des fourneaux. « Qu'est-ce que tu préfères, as-tu crié à la cantonade, un flan au chocolat ou une omelette ? » Tu avais compris que ma souffrance était réelle et tu essayais d'être gentille, de me faire plaisir d'une manière ou d'une autre. Le lendemain matin, dès que j'ai ouvert les volets, je t'ai vue sur la pelouse, il pleuvait à verse, tu portais ton ciré jaune et tu ratissais les feuilles. Vers neuf heures, quand tu es rentrée, tu as fait comme si de rien n'était ; je savais que, par-dessus tout, tu détestais cette partie de toi qui te poussait à la bonté.

Ce matin, tout en regardant avec désolation les plates-bandes du jardin, j'ai pensé que je devrais vraiment faire venir quelqu'un pour lutter contre la négligence à laquelle je me suis laissée aller pendant et après ma maladie. J'y pense depuis que je suis sortie de l'hôpital, mais je ne me décide pas à le faire. Avec les années, je suis devenue très jalouse du jardin, pour rien au monde je ne renoncerais à arroser les dahlias, à enlever une feuille morte d'une branche. C'est drôle parce que, quand j'étais jeune, le jardinage m'ennuyait beaucoup : avoir un jardin m'apparaissait davantage comme un embêtement que comme un privilège. Il suffisait en effet que mon attention se relâche un jour ou deux et aussitôt, dans cet ordre si péniblement atteint venait de nouveau s'insinuer le désordre, et le désordre me dérangeait plus que tout. Je n'avais aucun centre à l'intérieur de moi, et je ne supportais donc pas de voir à l'extérieur ce que j'avais à l'intérieur. J'aurais dû m'en souvenir quand je t'ai demandé de ratisser les feuilles !

Il y a des choses que l'on peut comprendre à un certain âge et pas avant, entre autres la relation avec sa maison, avec tout ce qui se trouve à l'intérieur et autour. A soixante, soixante-dix ans, tu comprends que le jardin et la maison ne sont plus un jardin et une maison où tu vis par commodité, par hasard ou parce qu'ils sont beaux ; ce sont ton jardin et ta maison, ils t'appartiennent comme la coquille appartient au mollusque qui vit à l'intérieur. Tu as formé la coquille avec tes sécrétions, gravée dans ses volutes se trouve ton histoire, la maison-coquille t'enveloppe, elle est au-dessus de toi, autour de toi, même la mort, peut-être, ne la délivrera pas de ta présence, des joies et des souffrances que tu as éprouvées à l'intérieur.

Hier soir, je n'avais pas envie de lire, si bien que j'ai regardé la télévision. Plus que la regarder, à dire vrai, je l'ai écoutée, parce que au bout d'une petite demi-heure de programme je me suis assoupie. J'entendais des bribes de mots, un peu comme dans un train, quand on glisse dans le demi-sommeil et que les propos des autres voyageurs nous parviennent par intermittence, dépourvus de sens. On diffusait un reportage sur les sectes de la fin du millénaire. Il y avait plusieurs interviews de vrais ou faux gourous, et dans ce torrent de mots, le terme *karma* est parvenu plusieurs fois jusqu'à mes oreilles. Dès que je l'ai entendu, j'ai revu le visage de mon professeur de philosophie au lycée.

40

Il était jeune et, pour l'époque, très anticonformiste. Durant son cours sur Schopenhauer il nous avait un peu parlé des philosophies orientales et, à cette occasion, il nous avait présenté le concept de *karma*. Ce jour-là, je n'ai guère prêté attention à ses propos, le mot et ce qu'il exprimait m'étaient entrés par une oreille et sortis par l'autre. Pendant bien des années, au fond de moi-même est resté le sentiment que c'était une sorte de loi du Talion, quelque chose du genre œil pour œil, dent pour dent, ou qui sème le vent récolte la tempête. Le *karma* – et ce qui s'y rattache – ne m'est revenu à l'esprit que plus tard, quand la directrice de l'école maternelle m'a convoquée pour me parler de ton comportement étrange. Tu avais mis toute l'école sens dessus dessous. De but en blanc, pendant l'heure consacrée à des récits, tu t'étais mise à parler de ta vie antérieure. Les institutrices, dans un premier temps, avaient pensé à une excentricité enfantine. Elles avaient essayé d'en réduire l'importance, de te prendre en flagrant délit de contradiction. Mais tu ne t'étais pas démontée, tu avais même dit des mots dans une langue que personne ne connaissait. Quand cela se reproduisit pour la troisième fois, je fus convoquée par la directrice de l'établissement. Pour ton bien et pour celui de ton avenir, on me conseilla de te faire suivre par un psychologue. « Avec le traumatisme qu'elle a subi, disait-elle, il est normal qu'elle se comporte ainsi, qu'elle cherche à s'évader de la réalité. » Naturellement, je ne t'ai jamais emmenée chez le psychologue, tu m'apparaissais comme une petite fille heureuse, j'étais plutôt portée à croire que ton imagination ne devait pas être imputée à un problème quelconque mais à un ordre des choses différent. Après cela, je ne t'ai jamais poussée à m'en parler, et, toi non plus, tu n'as jamais ressenti le besoin de le faire spontanément. Peut-être as-tu tout oublié le jour même où tu l'as dit, devant les institutrices médusées.

J'ai le sentiment que, ces dernières années, c'est devenu une mode de parler de ces choses-là : autrefois ces sujets ne concernaient qu'une élite alors qu'aujourd'hui ils sont sur toutes les lèvres. Il y a quelque temps, j'ai lu dans un journal qu'il existe en Amérique des groupes d'auto-conscience sur la réincarnation. Les gens se réunissent pour parler de leurs vies antérieures. La ménagère dit par exemple : « Au XIXe siècle, à New Orleans, je faisais le trottoir et c'est pour ça qu'aujourd'hui je n'arrive pas à être fidèle à mon mari », et le pompiste raciste justifie sa haine en affirmant avoir été dévoré par les Bantous au cours d'une expédition au XVIe siècle. Quelles tristes sottises ! On a perdu les racines de sa culture, et on essaye de compenser avec des vies antérieures la grisaille et l'incertitude du présent.

Si le cycle des vies a un sens, je crois que c'est un sens bien différent.

Quand ces incidents se sont produits à l'école maternelle, je m'étais procuré des livres; afin de mieux te comprendre, j'avais essayé d'en savoir un peu plus. Dans l'un de ces essais, justement, il était écrit que les enfants qui se souviennent avec précision de leur vie antérieure sont ceux qui sont morts précocement et de façon violente. Certaines obsessions inexplicables à la lumière de ton expérience de petite fille – le gaz qui sortait des tuyaux, la peur que tout explose d'un instant à l'autre – me faisaient pencher pour ce genre d'explication. Quand tu étais fatiguée ou angoissée ou dans l'abandon du sommeil, tu étais prise de terreurs irraisonnées. Les premières fois, dès que tu apparaissais en pleine nuit dans ma chambre, terrorisée, je me levais et avec des mots pleins de douceur je te raccompagnais dans la tienne. Là, allongée sur ton lit, tu me tenais la main et tu voulais que je te raconte des histoires qui finissent bien. Par crainte que je dise quelque chose d'inquiétant, tu me racontais d'abord l'intrigue de A à Z et je ne faisais qu'obéir aveuglément à tes instructions. Je répétais le conte une, deux, trois fois : quand je me levais pour retourner dans ma chambre, convaincue que tu t'étais calmée, ta voix fluette me rejoignait sur le pas de la porte : « C'est vraiment comme ça ? demandais-tu, c'est vrai, ça finit toujours comme ça ? » Alors je revenais sur mes pas, je t'embrassais sur le front et en t'embrassant je te disais : « Ça ne peut pas finir autrement, mon trésor, je te le jure. »

Mais certaines nuits, même si j'étais opposée au fait que tu dormes avec moi – ce n'est pas bon pour les enfants de dormir avec des vieux – je n'avais pas le courage de te renvoyer dans ton lit. Dès que je sentais ta présence près de la table de nuit, sans me retourner je te rassurais : « Tout est sous contrôle, rien n'explosera, retourne donc dans ta chambre. » Puis je faisais semblant de sombrer dans un sommeil immédiat et profond. Je sentais alors ton souffle léger un instant suspendu, au bout de quelques secondes le bord du lit grinçait faiblement, avec des mouvements prudents tu te coulais près de moi et tu t'endormais, épuisée comme un souriceau qui après une grande frayeur retrouve enfin la chaleur de son nid. A l'aube, pour jouer le jeu, je te prenais dans mes bras, tiède, abandonnée, et je te ramenais dans ta chambre où tu finissais de dormir. Au réveil il était très rare que tu te souviennes de quelque chose, tu étais presque toujours convaincue d'avoir passé toute la nuit dans ton lit.

Quand ces crises de panique te prenaient durant la journée, je te parlais avec douceur : « Tu ne vois pas comme la maison est solide ? Regarde l'épaisseur des murs, comment veux-tu qu'ils explosent ? » Mais mes efforts pour te rassurer étaient absolument inutiles ; les yeux écarquillés, tu continuais à scruter le vide devant toi en répétant : « Tout peut exploser. » Je n'ai jamais cessé de m'interroger sur cette terreur qui était la tienne. Que signifiait cette explosion ? Peut-être s'agissait-il du souvenir de ta mère, de sa fin tragique et soudaine ? Ou appartenait-elle à cette vie antérieure qu'avec une légèreté insolite tu avais racontée aux institutrices de la maternelle ? Les deux choses étaient-elles mêlées dans un lieu inaccessible de ta mémoire ? Allez savoir ! Malgré tout ce que l'on prétend, je crois que, dans la tête des hommes, il y a plus d'ombre que de clarté. Dans le livre que j'avais acheté ce jour-là, on disait que les enfants qui se souviennent d'autres vies habitent la plupart du temps en Inde ou en Orient, dans les pays où ce concept est traditionnellement admis. Je le crois volontiers. Imagine ça, si un jour j'étais allée voir ma mère et si, sans crier gare, je m'étais mise à parler une autre langue ou si je lui avais dit : « Je ne te supporte pas, j'étais bien mieux avec ma maman dans l'autre vie.» Tu peux être sûre qu'elle n'aurait pas même attendu un jour pour m'enfermer dans un asile de fous.

Existe-t-il une petite chance d'échapper au destin qu'impose le milieu d'origine, à ce que nos ancêtres nous ont transmis par la voie du sang ? Qui peut le savoir ! Peut-être que, dans le huis clos des générations, certains parfois arrivent à entrevoir une marche un peu plus haute et, de toutes leurs forces, ils essaient d'y parvenir. Briser un maillon, faire entrer dans la pièce un air différent : c'est là, je crois, le minuscule secret du cycle des vies. Minuscule mais épuisant, effrayant dans son incertitude.

Ma mère s'est mariée à seize ans, à dix-sept ans elle m'a mise au monde. Durant toute mon enfance, ou plutôt durant toute ma vie, je ne l'ai jamais vue faire un seul geste affectueux. Son mariage n'avait pas été un mariage d'amour. Personne ne l'y avait contrainte, elle s'était contrainte toute seule parce que, riche, juive et, qui plus est, convertie, elle aspirait à porter un titre de noblesse. Mon père, plus âgé qu'elle, baron et mélomane, s'était entiché de ses dons de chanteuse. Après avoir procréé l'héritier que la bienséance exigeait, ils ont vécu dans un océan de mesquineries et de petites vengeances jusqu'à la fin de leurs jours. Ma mère est morte insatisfaite et aigrie, sans jamais être effleurée par le doute qu'elle pouvait avoir quelques torts. C'était le monde qui était cruel, parce qu'il ne lui avait pas offert de meilleurs choix. Moi, j'étais très différente d'elle et à sept ans déjà, passé la dépendance de la petite enfance, j'ai commencé à ne plus la supporter.

J'ai beaucoup souffert par sa faute. Elle s'énervait souvent et uniquement pour des raisons extérieures. Sa prétendue « perfection » me donnait l'impression d'être méchante et la solitude était le prix de cette méchanceté. Au début j'essayais d'être comme elle, mais ces tentatives maladroites échouaient toujours. Plus je m'efforçais de lui ressembler, plus je me sentais mal à l'aise. Le renoncement à soi conduit au mépris. Du mépris à la rage il n'y a qu'un pas. Quand j'ai compris que l'amour de ma mère n'était lié qu'aux apparences, à ce que j'aurais dû être et non à ce que j'étais vraiment, dans le secret de ma chambre et de mon cœur j'ai commencé à la détester.

Pour échapper à ce sentiment, je me réfugiais dans un monde qui n'était qu'à moi. Le soir, dans mon lit, je recouvrais la lampe d'un chiffon et je lisais des romans d'aventures jusqu'à des heures tardives. J'aimais faire vagabonder mon imagination. Il y eut une période où je rêvais d'être pirate, je vivais sur la mer de Chine et j'étais une pirate très particulière parce que je ne volais pas pour moi-même mais pour tout donner aux pauvres. Après avoir rêvé d'être un bandit, j'eus des rêves philanthropiques, je me disais qu'après un diplôme de médecine j'irais en Afrique soigner les petits Noirs. A quatorze ans, j'ai lu la biographie de Schliemann et j'ai compris que jamais, au grand jamais, je ne pourrais soigner les gens parce que ma seule et vraie passion était l'archéologie. Parmi les innombrables activités que j'ai envisagées, je crois que celle-là fut la seule vraiment mienne.

En effet, pour réaliser ce rêve, j'ai livré ma première et unique bataille contre mon père : je me suis battue pour entrer au lycée classique. Il ne voulait même pas en entendre parler, il disait que ça ne servait à rien, que, si je tenais vraiment à étudier, il valait mieux que j'apprenne les langues. Pourtant, je finis par l'emporter. En franchissant la grande porte du lycée, j'étais absolument sûre d'avoir gagné. Je me trompais. A la fin de mes études supérieures, quand je lui fis part de mon intention de m'inscrire à l'université de Rome, sa réponse fut péremptoire : « Il n'en est pas question. » Et moi, selon la coutume de l'époque, j'obéis sans souffler mot. Il ne faut pas croire que gagner une bataille signifie avoir gagné la guerre. C'est une erreur de jeunesse. Maintenant, je pense que si à l'époque j'avais lutté, si je m'étais rebellée, mon père aurait fini par céder. Son refus catégorique faisait partie du système éducatif d'alors. On ne croyait pas les jeunes capables de prendre des décisions personnelles. Quand ils manifestaient un désir bien à eux, on essayait de les mettre à l'épreuve. Comme j'avais capitulé dès le premier écueil, il avait été évident pour eux qu'il ne s'agissait pas d'une véritable vocation mais d'un désir passager.

Pour mon père comme pour ma mère, les enfants étaient avant tout un devoir mondain. Ils négligeaient notre épanouissement intérieur, de même qu'ils traitaient avec une extrême rigidité les aspects les plus banals de l'éducation. Je devais me tenir bien droite à table, les coudes près du corps. Si, pendant ce temps, je ne pensais au fond de moi qu'à la meilleure façon de me suicider, cela n'avait aucune importance. L'apparence était tout, en dehors de celle-ci il n'existait que des choses inconvenantes.

Ainsi, j'ai grandi avec le sentiment d'être une sorte de singe qu'il fallait dresser, et pas un être humain, une personne avec ses joies, ses découragements, son besoin d'être aimée. Ce malaise, bien vite, a suscité en moi une grande solitude, une solitude qui, avec les années, est devenue énorme, une sorte de vide pneumatique dans lequel je me déplaçais avec les gestes lents et gauches d'un scaphandrier. La solitude naissait aussi des questions, celles que je me posais et auxquelles je ne savais pas répondre. A quatre, cinq ans déjà, je regardais autour de moi et je me demandais : « Pourquoi est-ce que je me trouve ici ? Je viens d'où, d'où viennent toutes les choses que je vois autour de moi, qu'y a-t-il derrière, ont-elles toujours été là même quand je n'y étais pas, seront-elles toujours là ? » Je me posais toutes les questions que se posent les enfants sensibles quand ils découvrent la complexité du monde. J'étais convaincue que les grandes personnes aussi se les posaient, qu'elles étaient capables d'y répondre, mais après deux ou trois tentatives auprès de ma mère et de ma tante, j'ai senti que non seulement elles ne pouvaient pas me répondre, mais qu'elles ne s'étaient jamais posé de telles questions.

Si bien que mon sentiment de solitude s'est accru, tu comprends, j'étais obligée de résoudre chaque énigme avec mes propres forces et rien d'autre, et plus le temps passait, plus je m'interrogeais, c'étaient des questions de plus en plus vastes, de plus en plus terribles, elles faisaient peur rien que d'y penser.

J'avais environ six ans quand j'ai rencontré la mort pour la première fois. Mon père possédait un chien de chasse, Argo ; il avait un caractère doux et affectueux, c'était mon compagnon de jeux préféré. Pendant des après-midi entiers, je lui faisais manger des soupes d'herbes et de boue, je l'obligeais à jouer le rôle de la cliente chez la coiffeuse, et lui, sans se rebiffer, se promenait dans le jardin avec les oreilles ornées d'épingles à cheveux. Mais un jour, alors que je lui essayais une nouvelle coupe de cheveux, je m'aperçus qu'il avait une grosseur sous la gorge. Depuis quelques semaines déjà il n'avait plus envie de courir et de sauter comme avant, si je me mettais dans un coin pour manger mon goûter, il ne se plantait plus devant moi en soupirant, plein d'espoir.

Un matin, au retour de l'école, je ne le trouvais pas près du portail en train de m'attendre. Sur le moment, je pensai qu'il était allé se promener avec mon père. Mais quand je vis mon père assis tranquillement dans son bureau et que je n'aperçus pas Argo à ses pieds, je fus prise d'une grande agitation. Je sortis et, hurlant à pleine gorge, je l'appelai à travers tout le jardin, puis je rentrai et fis deux ou trois fois le tour de toute la maison, l'explorant de fond en comble. Le soir, au moment de dire bonne nuit à mes parents et de leur donner le baiser obligatoire, je pris mon courage à deux mains et demandai à mon père : « Où est Argo ? – Argo, répondit-il sans lever les yeux de son journal, Argo est parti. – Et pourquoi ? demandai-je. – Parce qu'il en avait assez de tes méchancetés. » Indélicatesse ? Légèreté ? Sadisme ? Qu'y avait-il dans cette réponse ? A l'instant précis où j'entendis ces mots, quelque chose à l'intérieur de moi se brisa. Je commençai à avoir des insomnies, dans la journée il suffisait d'un rien pour que j'éclate en sanglots. Au bout d'un mois ou deux, on appela le pédiatre. « La petite est très fatiguée », dit-il, et il me prescrivit de l'huile de foie de morue. Pourquoi je ne dormais pas, pourquoi j'emportais toujours avec moi la balle rongée d'Argo. personne ne me l'a jamais demandé.

C'est à cet épisode que je fais remonter mon entrée dans l'âge adulte. A six ans ? Oui, vraiment, à six ans. Argo était parti parce que j'avais été méchante, mon comportement influait donc sur ce qui m'environnait. Il influait en faisant disparaître, en détruisant.

A partir de ce moment-là, mes actions n'ont plus été neutres, n'ayant d'autre fin qu'elles-mêmes. Terrorisée à l'idée de commettre d'autres erreurs, je les ai progressivement réduites au minimum, je suis devenue apathique, hésitante. La nuit, je serrais la balle entre mes mains et je disais en pleurant : « Argo, je t'en prie, reviens, même si je me suis trompée je t'aime plus que n'importe qui. » Quand mon père arriva à la maison avec un autre chiot, je ne voulus même pas le regarder. Pour moi il était, il devait rester un parfait étranger.

Dans l'éducation des enfants régnait l'hypocrisie. Je me souviens parfaitement qu'une fois, en me promenant avec mon père près d'une haie, j'avais trouvé un rouge-gorge mort de froid. Sans aucune crainte, je l'avais pris dans ma main et je le lui avais montré. « Pose-le, avait-il crié aussitôt, tu ne vois pas qu'il dort ? » La mort, comme l'amour, était un sujet tabou. N'aurait-il pas valu mille fois mieux m'annoncer qu'Argo était mort ? Mon père aurait pu me prendre dans ses bras et me dire : « C'est moi qui l'ai tué parce qu'il était malade, il souffrait trop. Là où il se trouve maintenant, il est beaucoup plus heureux. » J'aurais sûrement pleuré davantage, j'aurais été désespérée, pendant des mois et des mois je serais allée sur le lieu où il était enterré, je lui aurais longuement parlé à travers la terre. Puis, tout doucement, j'aurais commencé à l'oublier, d'autres choses m'auraient intéressée, j'aurais eu d'autres passions et Argo se serait déposé au fond de mes pensées comme un souvenir, un beau souvenir d'enfance. Au lieu de cela, Argo est devenu un petit mort que je porte en moi.

Voilà pourquoi je dis qu'à six ans j'étais adulte, parce que au lieu de la joie je ne ressentais que de l'anxiété, au lieu de la curiosité de l'indifférence. Mon père et ma mère étaient-ils des monstres ? Non. Pour l'époque c'étaient des gens tou à fait normaux.

C'est seulement quand elle a été vieille que ma mère a commencé à me parler un peu de son enfance. Sa mère était morte alors qu'elle était encore petite, avant elle, elle avait eu un garçon, emporté par une pneumonie à trois ans. Elle, elle avait été conçue tout de suite après et avait eu le malheur, non seulement d'être une fille, mais de naître le même jour où son frère était mort. Pour rappeler cette triste coïncidence, on l'avait habillée en deuil, même bébé. Au-dessus de son berceau trônait une grande peinture à l'huile, un portrait de son frère. Son rôle était de lui rappeler, chaque fois qu'elle ouvrait les yeux, qu'elle n'était qu'une remplaçante, une pâle copie de quelqu'un de mieux. Tu comprends ? Alors, comment lui reprocher sa froideur, ses choix erronés, son éloignement de tout ? Même les singes, si on les élève dans des laboratoires aseptisés, loin de leur vraie mère, deviennent tristes et se laissent mourir au bout de quelque temps. Et si l'on remontait encore plus loin, du côté de sa mère ou de la mère de sa mère, qui sait ce que l'on trouverait encore.

Habituellement, le malheur suit la ligne féminine. Comme certaines anomalies génétiques, il se transmet de mère en fille. En se transmettant, au lieu de s'affaiblir, il devient de plus en plus intense, de plus en plus profond et indéracinable. Pour les hommes, à l'époque, c'était très différent, ils avaient leur métier, la politique, la guerre ; leur énergie pouvait trouver un exutoire. Pour nous, il n'en était pas ainsi. Nous, pendant des générations et des générations, nous n'avons connu que la chambre à coucher, la cuisine, la salle de bains ; nous avons accompli des milliers et des milliers de pas, de gestes, en traînant la même rancœur, la même insatisfaction. Je suis devenue féministe ? Non, ne crains rien, j'essaie seulement de regarder derrière moi avec lucidité.

Tu te souviens des nuits du 15 août, quand nous allions sur le promontoire pour regarder les feux d'artifice tirés de la mer ? De temps à autre, il y en avait un qui, même s'il explosait, n'arrivait pas à atteindre le ciel. Voilà, quand je pense à la vie de ma mère, à celle de ma grand-mère, quand je pense à la vie de beaucoup de gens que je connais, c'est cette image-là qui me vient à l'esprit – des feux qui implosent au lieu de s'élancer vers le haut.

21 novembre

J'ai lu quelque part que Manzoni, quand il écrivait *Les Fiancés*, se levait tous les matins content de retrouver ses personnages. Je ne peux pas en dire autant de moi. Même si beaucoup d'années ont passé, je n'éprouve aucun plaisir à parler de ma famille, ma mère est restée dans ma mémoire aussi immobile et hostile qu'un janissaire. Ce matin, pour tenter de mettre un peu d'air entre elle et moi, entre moi et mes souvenirs, je suis allée me promener dans le jardin. Pendant la nuit la pluie était tombée, vers l'ouest le ciel était clair alors que derrière la maison flottaient encore des nuages violets. Avant que commence une nouvelle giboulée, je suis rentrée. Peu après un orage a éclaté, dans la maison il faisait si sombre que j'ai dû allumer la lumière. J'ai débranché la télévision et le réfrigérateur pour ne pas que la foudre les abîme, puis j'ai pris la torche électrique, je l'ai mise dans ma poche et je suis venue dans la cuisine pour notre rendez-vous quotidien.

Mais dès que je me suis assise, je me suis rendu compte que je n'étais pas encore prête, peut-être y avait-il trop d'électricité dans l'air, mes pensées voletaient çà et là, comme des étincelles. Alors je me suis levée et, l'intrépide Buck sur mes talons, j'ai un peu tournicoté dans la maison, sans but précis. Je suis allée dans la chambre où je dormais avec mon grand-père, puis dans ma chambre de maintenant – qui autrefois était celle de ma mère – puis dans la salle à manger qui ne sert plus depuis longtemps, et enfin dans ta chambre. En passant d'une pièce à l'autre, je me suis souvenue de l'effet que m'avait fait la maison la première fois que j'y étais entrée : elle ne m'avait pas plu du tout. Ce n'était pas moi qui l'avais choisie mais mon mari Augusto, et lui aussi l'avait choisie à la va-vite. Nous avions besoin d'un lieu où habiter et nous ne pouvions pas attendre. Comme elle était assez grande et qu'il y avait un jardin, il avait trouvé qu'elle répondait à toutes nos exigences. Dès l'instant où nous avions ouvert le portail elle m'avait paru de mauvais goût, je dirais même d'un goût exécrable ; en matière de couleurs et de formes, aucune partie ne s'harmonisait avec une autre. Si on la regardait sous un certain angle, on aurait dit un chalet suisse, sous un autre, avec son gros œil-de-bœuf central et son toit en pente, elle aurait pu être une de ces maisons hollandaises au bord des canaux. Si on la regardait de loin, avec ses sept cheminées de forme différente, il était évident que le seul endroit où elle pouvait exister était un conte. Elle avait été construite dans les années vingt mais il n'y avait pas un seul détail qui permît de l'identifier comme une maison de cette époque. Le fait qu'elle n'avait pas d'identité m'inquiétait, il m'a fallu bien des années pour m'habituer à l'idée qu'elle était à moi, que l'existence de ma famille coïncidait avec ses murs.

Alors que je me trouvais dans ta chambre, la foudre est tombée tout près et a fait sauter les plombs. Au lieu d'allumer la torche, je me suis allongée sur le lit. Dehors, on entendait le crépitement de la pluie, le vent sifflait, à l'intérieur il y avait des bruits variés, des grincements, de petits bruits sourds, les craquements du bois qui travaille. J'ai fermé les yeux et, un instant, la maison m'est apparue comme un bateau, un grand voilier qui avançait sur la pelouse. La tempête ne s'est calmée que vers l'heure du déjeuner, de la fenêtre de ta chambre j'ai vu que deux grosses branches étaient tombées du noyer.

A présent, me voilà de nouveau dans la cuisine, mon champ de bataille ; j'ai mangé, puis lavé les quelques assiettes que j'avais salies. Buck dort à mes pieds, épuisé par les émotions de ce matin. Plus les années passent, plus les orages le jettent dans un état de terreur dont il a du mal à se remettre.

Dans les livres que j'avais achetés à l'époque où tu allais à la maternelle, j'ai lu quelque part que le choix de la famille dans laquelle on naît est guidé par le cycle des vies. On a tel père et telle mère uniquement parce que ce père-là et cette mère-là nous permettront de comprendre quelque chose de plus, d'avancer un peu, d'un tout petit pas. Mais si c'est comme ça, m'étais-je demandé alors, pourquoi reste-t-on immobile pendant tant de générations ? Pourquoi recule-t-on au lieu d'avancer ?

Récemment, dans le supplément scientifique d'un journal, j'ai lu que l'évolution ne fonctionne peut-être pas comme nous l'avons toujours cru. D'après les dernières théories, les changements ne se produisent pas de façon graduelle. La patte plus longue, le bec de forme différente qui permet d'exploiter de nouvelles possibilités, ne se forment pas peu à peu, millimètre par millimètre, une génération après l'autre. Non, ils apparaissent à l'improviste : de la mère au fils, tout change, tout est différent. Nous en avons pour preuves les restes de squelettes, mâchoires, sabots, crânes avec des dents différentes. Pour de nombreuses espèces, on n'a pas trouvé de formes intermédiaires. Le grand-père est comme ceci et le petit-fils est comme cela, entre une génération et l'autre il y a eu un bond. Et s'il en était de même pour la vie intérieure ?

Les changements s'accumulent en sourdine, tout doucement et à un certain moment ils explosent. Tout à coup, quelqu'un brise le cercle, décide d'être différent. Destin, hérédité, éducation, où commence une chose, où finit l'autre ? Si l'on s'arrête rien qu'un instant pour y réfléchir, on est effrayé presque aussitôt par le grand mystère que tout cela renferme.

Un peu avant mon mariage, la sœur de mon père — celle qui dialoguait avec les esprits – avait fait faire mon horoscope par l'un de ses amis astrologue. Un jour elle est arrivée, une feuille à la main, et elle m'a dit : « Voilà, ça c'est ton avenir. » Il y avait un dessin géométrique sur cette feuille, les lignes qui reliaient les signes de chaque planète formaient toutes sortes d'angles. Dès que j'ai vu cela, je me souviens avoir pensé : il n'y a pas d'harmonie là-dedans, pas de continuité, c'est une succession de sauts, de virages si brusques que l'on dirait des chutes. Au dos de la feuille, l'astrologue avait écrit : « Un chemin difficile, tu devras t'armer de toutes les vertus pour le parcourir jusqu'au bout. »

J'avais été très frappée : ma vie, jusque-là, m'avait paru très banale, bien sûr j'avais eu des difficultés mais je les avais considérées comme des vétilles, de simples vaguelettes à la surface de ma jeunesse plutôt que des gouffres. Même après, quand je suis devenue adulte, épouse et mère, veuve et grand-mère, je ne me suis jamais écartée de cette normalité apparente. Le seul événement extraordinaire, si l'on peut dire, a été la disparition tragique de ta mère. Pourtant, si l'on y regarde bien, ce dessin d'étoiles ne mentait pas, derrière la surface solide et linéaire, derrière mon train-train quotidien de bourgeoise, il y avait en réalité un mouvement continuel, fait de petites remontées, de déchirements, d'obscurités imprévues et de chutes gigantesques. Dans ma vie, le désespoir a souvent pris le dessus, je me suis sentie comme ces soldats qui piétinent, immobiles au même endroit. Les époques changeaient, les personnes changeaient, tout changeait autour de moi et j'avais l'impression de rester toujours immobile.

A la monotonie de cette marche, la mort de ta mère a donné le coup de grâce. L'idée déjà modeste que j'avais de moi-même s'écroula en un instant. Je me suis dit : si jusqu'à présent j'ai accompli un pas ou deux, maintenant j'ai brusquement régressé, dans mon chemin j'ai atteint le point le plus bas. Ces jours-là, j'ai craint de ne plus y arriver, j'avais l'impression que le peu que j'avais compris jusqu'alors avait été effacé en une seule fois. Heureusement, je n'ai pas pu m'abandonner longtemps à cet état dépressif : la vie continuait, avec ses exigences.

La vie, c'était toi : tu es arrivée toute petite, sans défense, sans personne d'autre au monde, tu as envahi cette maison silencieuse et triste de tes éclats de rire imprévus, de tes pleurs. En voyant ta grosse tête ronde de petite fille osciller entre la table et le canapé, je me souviens avoir pensé qu'au fond tout n'était pas fini. Le hasard, dans sa générosité imprévisible, m'avait encore donné une chance.

Le Hasard. Un jour, le mari de Mme Morpurgo m'a dit qu'en hébreu ce mot n'existe pas. Pour désigner quelque chose qui a trait au hasard, ils sont obligés d'utiliser un mot arabe. C'est drôle, tu ne trouves pas ? C'est drôle mais rassurant : là où il y a Dieu il n'y a pas de place pour le hasard, même pour le mot si humble qui le désigne. Tout est ordonné, réglé d'en haut, tout ce qui t'arrive t'arrive parce que ça a un sens. J'ai toujours été très envieuse à l'égard de ceux qui adoptent cette vision du monde sans hésiter, à cause de la légèreté de leur choix. En ce qui me concerne, malgré toute ma bonne volonté, je n'ai jamais réussi à le faire mien plus de deux jours de suite : face à l'horreur, face à l'injustice j'ai toujours reculé, au lieu de les justifier avec gratitude j'ai toujours senti naître en moi un grand sentiment de révolte.

63

A présent, je m'apprête à accomplir une action hasardeuse, t'envoyer un baiser. Comme tu les détestes, hein ? Ils rebondissent sur ta cuirasse comme des balles de tennis. Mais ça n'a aucune importance, que ça te plaise ou non je t'envoie quand même un baiser, tu n'y peux rien parce que en ce moment, transparent et léger, il vole déjà au-dessus de l'océan.

Je suis fatiguée. J'ai relu avec une certaine anxiété ce que j'ai écrit jusqu'ici. Y comprendras-tu quelque chose ? Beaucoup de pensées se pressent dans ma tête, pour sortir elles se bousculent comme les clientes devant les soldes de fin de saison. Quand je raisonne je n'arrive jamais à avoir une méthode, un fil qui, avec logique, se déroule du début à la fin. Quelquefois, je me dis que c'est parce que je ne suis jamais allée à l'université. J'ai lu beaucoup de livres, j'ai été curieuse de beaucoup de choses, mais toujours avec une pensée pour les couches de bébé, une autre pour les fourneaux, une troisième pour les sentiments. Si un botaniste se promène dans un pré, il choisit les fleurs selon un ordre précis, il sait ce qui l'intéresse et ce dont il se fiche éperdument ; il décide, il rejette, il établit des relations. Mais si c'est un randonneur qui se promène dans le pré, il choisit les fleurs d'une manière différente, l'une parce qu'elle est jaune, l'autre parce qu'elle est bleue, la troisième parce qu'elle est parfumée, la quatrième parce qu'elle est au bord du sentier. Je crois que mon rapport au savoir a été comme ça. Ta mère me le reprochait. Quand il nous arrivait de discuter, j'étais presque tout de suite perdante. « Tu n'as aucun sens de la dialectique, me disait-elle. Comme tous les bourgeois, tu ne sais pas défendre sérieusement tes opinions. »

Autant tu es pleine d'une inquiétude sauvage et sans nom, autant ta mère était bardée d'idéologie. Pour elle, le fait que je parlais de petites et pas de grandes choses était une cause de reproches. Elle me traitait de réactionnaire, obsédée par les rêves bourgeois. Selon son point de vue, j'étais riche et, en tant que telle, tournée vers le superflu, le luxe, naturellement portée à faire le mal.

A la manière dont elle me regardait parfois, j'étais sûre que, s'il avait existé un tribunal populaire et si elle en avait été le chef, elle m'aurait condamnée à mort. J'avais le défaut de vivre dans une villa avec jardin au lieu d'habiter une baraque en planches ou un appartement de banlieue. A ce défaut s'ajoutait le fait que j'avais reçu en héritage une petite rente qui nous permettait à toutes les deux de vivre. Pour ne pas commettre les mêmes erreurs que mes parents, je m'intéressais à ce qu'elle disait, tout au moins j'essayais de le faire. Je ne me suis jamais moquée d'elle, je ne lui ai jamais fait comprendre combien j'étais étrangère à toute idée totalitaire, mais elle devait sentir ma méfiance à l'égard de ses phrases stéréotypées.

Ilaria a fréquenté l'université de Padoue. Elle aurait pu s'inscrire à Trieste, mais elle était trop intolérante pour continuer à vivre à mes côtés. Chaque fois que je lui proposais d'aller la voir, elle me répondait par un silence chargé d'hostilité. Ses études avançaient très lentement, je ne savais pas avec qui elle partageait sa maison, elle n'avait jamais voulu me le dire. Connaissant sa fragilité, j'étais inquiète. Il y avait eu Mai 68 en France, les universités occupées, le mouvement étudiant. En écoutant ses rares comptes rendus téléphoniques, je m'apercevais que je n'arrivais plus à la suivre, elle était toujours enthousiasmée par quelque chose et ce quelque chose changeait sans arrêt. Fidèle à mon rôle de mère, j'essayais de la comprendre, mais c'était difficile : tout était fébrile, fuyant, il y avait trop d'idées nouvelles, trop de concepts absolus. Au lieu de parler avec ses mots à elle, Ilaria alignait les slogans. Je craignais pour son équilibre mental : se sentir à l'unisson avec un groupe dont elle partageait les certitudes et les dogmes renforçait d'une manière inquiétante sa tendance naturelle à l'arrogance.

Pendant sa sixième année d'université, inquiète d'un silence plus long que les autres, je pris le train et allai la voir. Depuis qu'elle habitait Padoue, ça ne m'était jamais arrivé. Lorsqu'elle ouvrit la porte, elle resta stupéfaite. Au lieu de me dire bonjour, elle m'agressa : « Qui t'a invitée ? » et sans même me donner le temps de répondre, elle ajouta : « Tu aurais dû me prévenir, j'allais justement sortir. Ce matin, j'ai un examen très important. » Elle était encore en chemise de nuit, il était évident qu'elle mentait. Je fis mine de ne pas m'en apercevoir : « Ce n'est pas grave, je t'attendrai et nous fêterons le résultat ensemble. » Peu après elle sortit pour de bon, avec une telle hâte qu'elle laissa ses livres sur la table.

Restée seule, je fis ce que n'importe quelle mère aurait fait, je me mis à regarder dans les tiroirs, cherchant un signe, quelque chose qui m'aiderait à comprendre quelle direction sa vie avait prise. Je n'avais pas l'intention de l'espionner, de faire œuvre de censeur ou d'inquisiteur, cela n'a jamais été dans ma nature. Il n'y avait en moi qu'une grande anxiété et pour l'apaiser, j'avais besoin d'un point d'appui. A part des tracts et des opuscules de propagande révolutionnaire, je ne découvris rien d'autre, pas une lettre, pas un journal intime. Sur un mur de sa chambre à coucher se trouvait une affiche sur laquelle était écrit : « La famille est aussi aérée et stimulante qu'une chambre à gaz. » D'une certaine manière, c'était là un indice.

Ilaria rentra au début de l'après-midi, hors d'haleine, comme quand elle était sortie. « Comment a marché ton examen ? » lui demandai-je sur le ton le plus affectueux possible. Elle haussa les épaules. « Comme tous les autres », et après une pause elle ajouta : « Tu es venue pour ça, pour me surveiller ? » Je voulais éviter l'affrontement et, sur le ton le plus calme et conciliant qui soit, je lui répondis que je n'avais qu'un désir, parler un peu avec elle.

« Parler ? répéta-t-elle incrédule. Et de quoi ? De tes passions mystiques ?

– De toi, Ilaria », dis-je alors doucement, essayant de rencontrer ses yeux. Elle s'approcha de la fenêtre, les yeux fixés sur un saule un peu jauni. « Je n'ai rien à raconter, pas à toi en tout cas. Je ne veux pas perdre de temps dans des bavardages intimistes et petits-bourgeois. » Puis ses yeux allèrent du saule à sa montre et elle dit : « Il est tard, j'ai une réunion importante. Il faut que tu partes. » Je ne lui obéis pas, je me levai mais au lieu de sortir j'allai vers elle, pris ses mains entre les miennes. « Qu'est-ce qui t'arrive ? lui demandai-je, qu'est-ce qui te fait souffrir ? » Je sentais sa respiration s'accélérer. « Ça me fait mal au cœur de te voir dans cet état, ajoutai-je. Même si tu me refuses en tant que mère, moi je ne te refuse pas en tant que fille. Je voudrais t'aider, mais si tu ne viens pas vers moi je ne peux pas le faire. » A ce moment-là, son menton commença à trembler comme quand elle était petite et qu'elle était sur le point de pleurer ; elle retira brusquement ses mains et se tourna vers le coin du mur, d'un mouvement brusque. Son corps maigre et contracté était secoué de sanglots profonds. Je lui caressai les cheveux, ses mains étaient aussi glacées que sa tête était brûlante. Elle se retourna soudain, m'étreignit, le visage caché dans mon épaule. « Maman, dit-elle, je... je... »

A ce moment précis, le téléphone sonna.

« Laisse-le sonner, lui chuchotai-je à l'oreille.

– Je ne peux pas », me répondit-elle en s'essuyant les yeux.

Quand elle souleva le récepteur, sa voix était de nouveau métallique, étrangère. D'après le bref dialogue, je compris qu'il s'était sans doute passé quelque chose de grave. Effectivement, tout de suite après elle me dit : « Désolée, maintenant il faut vraiment que tu t'en ailles. » Nous sortîmes ensemble, sur le pas de la porte elle se laissa aller à une étreinte fugace et coupable : « Personne ne peut m'aider », chuchota-t-elle en m'étreignant. Je l'accompagnai jusqu'à sa bicyclette attachée à un poteau, non loin de là. Elle était déjà en selle lorsque, glissant deux doigts sous mon collier, elle dit : « Les perles, hein, c'est ton laissez-passer. Depuis ta naissance tu n'as jamais eu le courage de faire un pas sans elles ! »

A toutes ces années de distance, c'est l'épisode de la vie avec ta mère qui me revient le plus fréquemment à l'esprit. J'y pense souvent. Comment est-il possible que, parmi tout ce que nous avons vécu ensemble, ce soit toujours celui-là qui apparaisse en premier dans mes souvenirs ? Aujourd'hui, alors que je me le demandais pour la énième fois, un dicton a résonné en moi : « On retourne toujours le couteau dans la plaie. » Quel rapport ? vas-tu te demander. Le rapport existe, et comment ! Cet épisode me revient souvent à l'esprit parce que c'est la seule fois que j'ai eu la possibilité de susciter un changement. Ta mère avait éclaté en sanglots, elle s'était serrée contre moi : à ce moment-là, s'était ouverte dans sa cuirasse une toute petite fissure par laquelle j'aurais pu me glisser. Une fois à l'intérieur, j'aurais pu faire comme ces clous qui se dilatent dès qu'ils sont entrés dans le mur, et progressivement, ils gagnent un peu plus d'espace. Je me serais transformée en un point fixe dans sa vie. Pour y arriver, il m'aurait fallu de la poigne. Quand elle m'a dit : « Il faut vraiment que tu t'en ailles », j'aurais dû rester. J'aurais dû prendre une chambre dans un hôtel du voisinage et revenir frapper à sa porte tous les jours, insister jusqu'à transformer cette fissure en passage. Il s'en est fallu de très peu, je le sentais.

Mais je ne l'ai pas fait : par lâcheté, par paresse

et par une pudeur déplacée, j'ai obéi à son injonction. J'avais détesté le caractère envahissant de ma mère, je voulais être une mère différente, respecter la liberté de sa vie. Derrière le masque de la liberté se cachent souvent la négligence, le désir de ne pas être concerné. La frontière est très mince, la franchir ou ne pas la franchir est une question d'instant, de décision que l'on prend ou que l'on ne prend pas ; tu ne te rends compte de son importance que lorsque l'instant est passé. Alors seulement tu te repens, alors seulement tu comprends qu'à ce moment-là il ne devait pas y avoir liberté mais intrusion : tu étais là, tu étais consciente, cette conscience t'imposait d'agir. L'amour n'est pas fait pour les paresseux, pour exister dans sa plénitude il exige parfois des gestes précis et forts. Tu comprends ? J'avais travesti ma lâcheté et mon indolence sous le noble habit de la liberté.

L'idée du destin nous vient avec l'âge. Lorsqu'on a le tien, généralement on n'y pense pas, tout ce qui arrive nous apparaît comme le fruit de notre propre volonté. Tu te sens comme un ouvrier qui, pierre par pierre, construit devant lui la route qu'il devra parcourir. C'est seulement à distance, bien plus loin, que tu t'aperçois que la route est déjà construite, un autre l'a tracée pour toi et tu n'as plus qu'à continuer. On fait habituellement cette découverte vers quarante ans, on commence alors à sentir que les choses ne dépendent pas uniquement de soi. Moment dangereux, au cours duquel il n'est pas rare de glisser dans un fatalisme étriqué. Pour voir le destin dans toute sa réalité, tu dois laisser passer encore quelques années. Vers soixante ans, quand la route derrière toi est plus longue que celle qui te reste, tu vois quelque chose que tu n'avais jamais vu avant : le chemin que tu as parcouru n'était pas rectiligne mais plein de carrefours, à chaque pas il y avait une flèche qui t'indiquait une direction différente ; de là partait un sentier, de là un chemin herbeux qui se perdait dans les bois. Certaines de ces déviations, tu les a prises sans t'en apercevoir, d'autres, tu ne les as même pas vues ; celles que tu as négligées, tu ne sais pas où elles t'auraient conduite, dans un endroit meilleur ou pire ; tu ne le sais pas mais tu éprouves quand même des regrets. Tu aurais pu faire telle chose et tu ne l'as pas faite, tu es revenue sur tes pas au lieu d'avancer. Tu te souviens du jeu de l'oie ? La vie avance à peu près de la même façon.

Dans les carrefours de ta route, tu rencontres les autres vies ; les connaître ou ne pas les connaître, les vivre à fond ou les négliger ne dépend que du choix que tu fais en un instant : même si tu l'ignores, ta vie et celle de tes proches se jouent souvent ainsi, quand tu choisis de tourner ou de continuer tout droit.

22 novembre

Cette nuit le temps a changé, le vent d'est s'est levé, en quelques heures il a balayé les nuages. Avant de me mettre à écrire je me suis promenée dans le jardin. La *bora* soufflait encore avec violence, elle se glissait sous les vêtements. Buck était euphorique, il voulait jouer, une pomme de pin dans la gueule, il trottait autour de moi. Avec le peu de force qui me reste, j'ai réussi à la lui lancer une fois ; elle n'a pas volé très loin mais il était content quand même. Après avoir vérifié que ta rose se portait bien, je suis allée dire bonjour au noyer et au cerisier, mes arbres préférés.

Tu te rappelles comme tu te moquais de moi quand tu me voyais immobile, en train de caresser un tronc d'arbre ? « Qu'est-ce que tu fais ? me demandais-tu, ce n'est pas le dos d'un cheval. » Et quand je te faisais remarquer que toucher un arbre, c'est exactement la même chose que toucher n'importe quel être vivant, ou plutôt c'est encore mieux, tu haussais les épaules et tu t'éloignais, irritée. Pourquoi c'est mieux ? Parce que, si je gratte la tête de Buck par exemple, je sens bien quelque chose de chaud, de vibrant, mais dans ce quelque chose il y a toujours, au-dessous, une agitation subtile. C'est l'heure de la pâtée, trop proche ou trop éloignée, c'est la nostalgie qu'il a de toi, ou simplement le souvenir d'un mauvais rêve. Tu comprends ? Dans le chien comme dans l'homme, il y a trop de soucis, trop d'exigences. Atteindre la sérénité et le bonheur ne dépend jamais seulement de lui.

Pour l'arbre c'est différent. De sa naissance à sa mort, il est toujours immobile au même endroit. Avec ses racines, il est plus près du cœur de la terre, avec son feuillage il est plus près du ciel. La sève court à l'intérieur de lui de haut en bas, de bas en haut. Elle se répand et se retire en fonction de la lumière du jour. Il attend la pluie, il attend le soleil, il attend une saison et puis une autre, il attend la mort. Aucune des choses qui lui permettent de vivre ne dépend de sa volonté. Il existe et c'est tout. Tu comprends maintenant pourquoi c'est si beau de les caresser ? A cause de leur solidité, de leur respiration si ample, calme, profonde. Quelque part dans la Bible il est écrit que Dieu a les narines larges. Même si c'est un peu irrévérencieux, chaque fois que j'ai tenté d'imaginer les traits de la divinité, j'ai pensé à la forme d'un chêne.

Dans la maison de mon enfance il y en avait un, il était si grand qu'il fallait se mettre à deux pour en enlacer le tronc. A quatre ou cinq ans déjà, j'aimais bien lui rendre visite. Je restais là, je sentais l'humidité de l'herbe sous mon postérieur, le vent frais dans mes cheveux et sur mon visage. Je respirais et je savais qu'il y avait un ordre supérieur dans les choses et que je faisais partie de cet ordre, comme tout ce que je voyais. Même si je ne connaissais pas la musique, quelque chose en moi chantait. Je ne saurais pas te dire de quel genre de mélodie il s'agissait, ce n'était ni un refrain ni un air bien précis. Cela ressemblait plutôt à un soufflet qui aurait fonctionné sur un rythme régulier et puissant, dans la zone proche de mon cœur, et ce souffle, en se répandant dans mon corps et mon esprit, aurait produit une grande lumière dotée d'une double nature : la sienne en tant que lumière, et une nature musicale. J'étais heureuse d'exister et, au-delà de ce bonheur, pour moi il n'y avait rien d'autre.

Tu pourras trouver étrange et excessif qu'un enfant sente quelque chose de ce genre. Nous sommes malheureusement habitués à considérer l'enfance comme une période de cécité, d'inachèvement, et non comme l'une des plus riches

75

qui soient. Et pourtant il suffirait de regarder avec attention les yeux d'un nouveau-né pour se rendre compte qu'il en est vraiment ainsi. L'as-tu jamais fait ? Essaie, quand tu en auras l'occasion. Débarrasse-toi de tes préjugés et observe ce regard. Comment est-il ? Vide, inconscient ? Ou bien très ancien, lointain, chargé de savoir ? Les enfants ont en eux, naturellement, un souffle plus large, c'est nous, les adultes, qui l'avons perdu et qui sommes incapables de l'accepter. A quatre, cinq ans, je ne savais rien de la religion, de Dieu, de toutes les bêtises qu'ont commises les hommes en parlant de ces choses-là.

Tu sais, lorsqu'il a fallu décider si tu suivrais ou non les cours d'éducation religieuse à l'école, j'ai été longtemps indécise. D'un côté, je me rappelais à quel point ma rencontre avec les dogmes avait été catastrophique, de l'autre j'étais sûre que dans l'éducation, outre le raisonnement, il fallait aussi penser à l'esprit. La solution est venue d'elle-même, le jour où est mort ton premier hamster. Tu le tenais entre tes mains et tu me regardais, perplexe. « Où il est maintenant ? » m'as-tu demandé. Je t'ai répondu en te renvoyant ta question. « D'après toi, où est-il ? » Tu te souviens de ce que tu m'as répondu : « Lui, il est dans deux endroits. Il est un peu ici, un peu dans les nuages. » L'après-midi même, nous l'avons enterré avec une petite cérémonie.

Agenouillée devant le monticule de terre, tu as dit ta prière : « Sois heureux, Tony. Un jour nous nous reverrons. »

Je ne te l'ai peut-être jamais dit, mais j'ai passé mes cinq premières années d'école chez les religieuses, à l'institut du Sacré-Cœur. Crois-moi, pour mon esprit déjà si instable, les dégâts n'ont pas été minces. Dans l'entrée du collège, les religieuses avaient installé une grande crèche, pour toute la durée de l'année scolaire. Il y avait Jésus dans sa cabane avec son père, sa mère, le bœuf et l'âne et, tout autour, des montagnes et des ravins en carton-pâte, uniquement peuplés d'un troupeau de brebis. Chaque brebis représentait une élève, et, selon sa conduite de la journée, on l'éloignait ou on la rapprochait de la cabane de Jésus. Tous les matins avant d'aller en classe nous passions là devant et, en passant, nous regardions forcément quelle était notre place. En face de la cabane il y avait un immense précipice où se trouvaient les plus méchantes, avec deux pattes déjà suspendues au-dessus du vide. De six à dix ans, j'ai vécu conditionnée par les pas que faisait mon petit agneau. Cela va sans dire, il n'a presque jamais bougé du bord du ravin.

A l'intérieur de moi, de toute ma volonté, j'essayais de respecter les commandements que l'on m'avait enseignés. Je le faisais avec ce sens inné

77

du conformisme propre aux enfants, mais ce n'était pas la seule raison. J'étais vraiment convaincue qu'il fallait être bon, ne pas mentir, ne pas être vaniteux. Malgré cela, j'étais toujours au bord de la chute. Pourquoi ? Pour des broutilles. Quand j'allais voir, en larmes, la mère supérieure pour lui demander la raison de mon énième déplacement, elle me répondait : « Parce que, hier, tu avais un trop gros ruban dans les cheveux... Parce que, en sortant de l'école, une de tes camarades t'a entendue chantonner... Parce que tu ne t'es pas lavé les mains avant d'aller à table. » Tu comprends ? Une fois de plus, mes fautes étaient extérieures, exactement pareilles à celles dont ma mère m'accusait. Ce que l'on enseignait, ce n'était pas la cohérence mais le conformisme. Un jour, arrivée à l'extrême limite du précipice, j'éclatai en sanglots en disant : « Mais moi, j'aime Jésus ! » Tu sais ce que m'a dit alors la sœur qui était à côté de moi ? « Ah, non seulement tu es désordonnée, mais de plus tu es menteuse ! Si tu aimais vraiment Jésus, tu soignerais davantage tes cahiers. » Et plouf, en la poussant de l'index elle fit dégringoler ma brebis dans le précipice.

A la suite de cet épisode, je crois que pendant deux mois entiers je n'ai pas dormi. Dès que je fermais les yeux, je sentais sous mon dos la toile du matelas se transformer en flammes, et des

voix horribles ricanaient en moi en disant :
« Attends, on va venir te prendre. » Naturellement, je n'ai jamais parlé de tout cela à mes
parents. Me voyant nerveuse et le teint blafard,
ma mère disait : « Cette petite est très fatiguée »,
et moi, sans souffler mot, j'avalais force cuille-
rées de sirop fortifiant.

Qui sait combien de personnes sensibles et
intelligentes se sont éloignées pour toujours des
problèmes spirituels, à cause d'épisodes comme
celui-là ! Chaque fois que j'entends quelqu'un
dire que ses années d'école étaient si belles et les
regretter, je reste interdite. Pour moi cette période
a été l'une des plus affreuses de ma vie, peut-être
même la plus affreuse dans l'absolu, dominée par
un sentiment d'impuissance. Pendant toute la
durée de l'école primaire, j'ai été écartelée entre
la volonté de rester fidèle à ce que je sentais à
l'intérieur de moi, et le désir d'adhérer, même si
je sentais que c'était faux, à ce que croyaient les
autres.

C'est étrange, mais en revivant aujourd'hui les
émotions de cette époque, j'ai l'impression que
ma grande crise de croissance ne s'est pas pro-
duite, comme cela arrive toujours, durant l'adolescence, mais justement durant ces années d'enfance. A douze, treize, quatorze ans, je possédais
déjà ma propre stabilité, dans la tristesse.
Les grandes questions métaphysiques s'étaient

éloignées tout doucement pour céder la place à des imaginations nouvelles et inoffensives. J'allais à la messe le dimanche et pour les fêtes religieuses, en compagnie de ma mère, je m'agenouillais d'un air contrit pour recevoir l'hostie, et pendant ce temps je pensais à autre chose : ce n'était qu'une des petites comédies que je devais jouer pour vivre tranquille. C'est pour ça que je ne t'ai pas inscrite au cours d'éducation religieuse et que je ne m'en suis jamais repentie. Quand, avec ta curiosité d'enfant, tu me posais des questions sur ce sujet, je tâchais de te répondre de façon directe et sereine, en respectant le mystère qui est en chacun de nous. Et quand tu ne m'as plus posé de questions, j'ai été discrète, j'ai cessé de t'en parler. Dans ce domaine, on ne peut ni pousser ni tirer, sous peine qu'il arrive la même chose qu'avec les marchands ambulants. Plus ils vantent leur marchandise, plus on se demande si ce n'est pas une duperie. Avec toi, j'ai juste essayé de ne pas éteindre ce qui existait déjà. Pour le reste, j'ai attendu.

Ne crois pourtant pas que mon chemin ait été si facile : même si à quatre ans j'avais senti la respiration qui enveloppe les choses, à sept ans je l'avais déjà oubliée. Les premiers temps, il est vrai, j'entendais encore la musique, c'était un fond sonore, mais il était là. On aurait dit un torrent dans une gorge de montagne, si je restais immobile et attentive, du bord du précipice j'arrivais à percevoir son bruit. Puis le torrent s'est transformé en une vieille radio, une radio sur le point de se casser. A certains moments, la mélodie éclatait trop bruyamment, l'instant d'après elle avait disparu.

Mon père et ma mère ne manquaient pas une occasion de me reprocher ma vieille habitude de chantonner. Un jour, pendant un déjeuner, j'ai même eu droit à une gifle – ma première gifle – parce ce que j'avais laissé échapper un *tralala*. « On ne chante pas à table ! » a tonné mon père. « On ne chante pas si l'on n'est pas chanteur », a enchaîné ma mère. Moi, je pleurais et je répétais entre mes larmes : « Mais ça chante dans ma tête. » Tout ce qui s'éloignait du monde concret et matériel était incompréhensible pour mes parents. Alors, comment aurais-je pu conserver ma musique ? J'aurais dû avoir, pour le moins, le destin d'un saint. Mon destin, au contraire, était le destin cruel de la normalité.

Tout doucement, la musique a disparu et, avec elle, le sentiment de joie profonde qui m'avait accompagnée les premières années. Tu sais, la joie est vraiment ce que j'ai le plus regretté. Par la suite, bien sûr, j'ai été heureuse, mais le bonheur est à la joie ce qu'une lampe électrique est au soleil. Le bonheur a toujours une cause, on est heureux de quelque chose, c'est un sentiment dont l'existence dépend de l'extérieur. La joie, elle, est sans objet. Elle te possède sans aucune raison apparente, dans son être elle ressemble au soleil, elle brûle grâce à la combustion de son propre cœur.

Au fil des années, j'ai renoncé à moi-même, à la part la plus profonde de moi, pour devenir une autre personne, celle que mes parents souhaitaient que je devienne. J'ai abandonné ma personnalité pour acquérir un caractère. Le caractère, tu auras l'occasion de t'en apercevoir, est beaucoup plus apprécié dans le monde que la personnalité.

Mais caractère et personnalité, contrairement à ce que l'on croit, ne font pas bon ménage et la plupart du temps, même, ils s'excluent l'un l'autre de façon péremptoire. Ma mère, par exemple, avait beaucoup de caractère, elle était sûre de toutes ses actions et il n'y avait rien, absolument rien, qui eût pu ternir cette certitude. Moi, j'étais exactement le contraire. Dans la vie de tous les jours, rien ne suscitait en moi l'enthousiasme. Chaque fois qu'il fallait choisir, j'hésitais, j'attendais si longtemps qu'à la fin ceux qui étaient à mes côtés s'impatientaient et décidaient à ma place.

Ne crois pas qu'abandonner ma personnalité pour feindre un caractère ait été un processus naturel. Au fond de moi, quelque chose continuait à se rebeller, une partie de moi désirait continuer à être moi-même tandis que l'autre, pour qu'on l'aime, voulait s'adapter aux exigences du monde. Quelle dure bataille ! Je détestais ma mère, sa façon de faire, superficielle et vide. Je la détestais et pourtant, lentement et malgré moi, j'étais en train de devenir exactement comme elle. C'est là le grand, le terrible chantage de l'éducation, celui auquel il est presque impossible d'échapper. Aucun enfant ne peut vivre sans amour. C'est pour cela que l'on se conforme au modèle requis, même s'il n'a rien pour nous plaire, même si on le trouve mauvais. L'effet de ce mécanisme ne disparaît pas à l'âge adulte. Dès que tu deviens mère, il réaffleure sans que tu t'en rendes compte et, malgré toi, il façonne de nouveau tes actions. Ainsi, quand ta mère est née, j'étais sûre que je me conduirais d'une manière différente. Ce que je fis en effet, mais cette différence était superficielle, fausse. Pour ne pas imposer un modèle à ta mère, comme on me l'avait imposé à moi avant l'heure, je l'ai toujours laissée libre de choisir, je voulais qu'elle se sente approuvée quoi qu'elle fasse, je ne cessais de lui répéter : « Nous sommes deux personnes différentes et nous devons nous respecter en tant que telles. »

Il y avait une erreur dans tout cela, une grave erreur. Tu sais laquelle ? Mon absence d'identité.

Même si désormais j'étais adulte, je n'étais sûre
de rien. Je n'arrivais pas à m'aimer, à avoir de
l'estime pour moi. Avec la sensibilité subtile et
opportuniste qui caractérise les enfants, ta mère
l'a senti presque tout de suite : elle a senti que
j'étais faible, fragile, facile à écraser. L'image qui
me vient à l'esprit, quand je pense à notre relation, est celle d'un arbre et de la plante qui le
parasite. L'arbre est plus vieux, plus grand, il est
là depuis longtemps et a des racines plus profondes. La plante pousse à ses pieds en une seule
saison, elle n'a pas de vraies racines mais des
barbes, des filaments. Sous chaque filament elle
est dotée de petites ventouses, c'est grâce à elles
qu'elle grimpe le long du tronc. Au bout d'un an
ou deux, elle se retrouve au sommet du feuillage.
Pendant que son hôte perd ses feuilles, elle reste
verte. Elle continue à proliférer, à se cramponner,
elle le couvre entièrement, le soleil et l'eau n'at-
teignent qu'elle. A ce moment-là, l'arbre se des-
sèche et meurt, il ne reste que le tronc pour soutenir misérablement la plante grimpante.

Après sa disparition tragique, je n'ai plus
pensé à elle pendant plusieurs années. Parfois je
me rendais compte que je l'avais oubliée et je
m'en voulais de ma cruauté. Je devais m'occuper
de toi, c'est vrai, mais je ne crois pas que c'était
le vrai motif, ou peut-être n'en était-ce qu'une
partie. Mon sentiment d'échec était trop grand

pour que je puisse l'admettre. C'est seulement les dernières années, quand tu as commencé à t'éloigner, à chercher ta voie, que j'ai de nouveau pensé à ta mère, d'une manière obsédante. Mon plus grand remords est de n'avoir jamais eu le courage de m'opposer à elle, de ne lui avoir jamais dit : « Tu as sacrément tort, tu es en train de faire une sottise. » Je sentais que, dans ses propos, il y avait des slogans très dangereux, des choses que, pour son bien, j'aurais dû empêcher immédiatement, et toutefois je m'abstenais d'intervenir. L'indolence n'avait rien à y voir. Les choses dont nous discutions étaient essentielles. Ce qui me poussait à agir – ou plutôt à ne pas agir – c'était l'attitude que ma mère m'avait enseignée. Pour être aimée, je devais éviter l'affrontement, feindre d'être celle que je n'étais pas. Ilaria était naturellement autoritaire, elle avait plus de caractère que moi et je craignais la lutte ouverte, j'avais peur de m'opposer à elle. Si je l'avais aimée vraiment, j'aurais dû m'indigner, la traiter avec dureté, j'aurais dû l'obliger à faire ou à ne pas faire certaines choses. Peut-être était-ce justement cela qu'elle voulait, ce dont elle avait besoin.

Qui sait pourquoi les vérités élémentaires sont les plus difficiles à comprendre ? Si j'avais compris, alors, que la première qualité de l'amour est la force, les événements se seraient probablement déroulés de façon différente. Mais pour être fort il faut s'aimer soi-même ; pour s'aimer soi-même, il faut se connaître en profondeur, savoir tout de soi, même les choses les plus cachées, les plus difficiles à accepter. Comment peut-on accomplir un tel processus alors que la vie, avec tout son bruit, nous tire en avant ? Seuls peuvent le faire, dès le début, ceux qui sont dotés de qualités exceptionnelles. Au commun des mortels, aux gens comme moi, il ne reste que le destin des branches et des bouteilles en plastique. Quelqu'un – ou le vent – te jette soudain dans le courant d'un fleuve ; grâce à la matière dont tu es fait, tu flottes au lieu de couler ; cela te semble déjà une victoire et, tout de suite, tu glisses bien vite dans la direction où le courant te porte ; de temps en temps, à cause d'un amas de racines ou d'une pierre, tu es contraint à une halte ; tu restes là, un peu ballotté par l'eau, puis l'eau monte et tu te dégages, tu avances encore ; quand le courant est faible tu flottes à la surface, quand il est violent tu es submergé ; tu ne sais pas où tu vas et tu ne te l'es jamais demandé ; dans les passages les plus calmes, tu arrives à voir le paysage, les bords, les buissons ; plus que les détails, tu vois les formes, le type de couleur, tu vas trop vite pour voir autre chose ; puis, avec le temps et les kilomètres, les bords sont moins hauts, le fleuve s'élargit, il y a encore un talus mais pas pour longtemps. Tu te demandes alors : « Je vais où ? » et au même instant, la mer s'ouvre devant toi.

Une grande partie de ma vie a été ainsi. Je me suis débattue au lieu de nager. Avec des gestes mal assurés et brouillons, sans élégance ni joie, je n'ai réussi qu'à rester en surface.

Pourquoi est-ce que je t'écris tout cela ? Que signifient ces confessions, longues et trop intimes ? Au point où nous en sommes, tu en as peut-être assez, tu as dû feuilleter ces pages en soupirant. Tu as dû te demander : à quoi veut-elle en venir, où m'emmène-t-elle ? C'est vrai, je divague, au lieu de prendre la route principale, je m'enfonce dans d'humbles sentiers, fréquemment et avec plaisir. Je donne l'impression de m'être perdue et ce n'est peut-être pas qu'une impression : je me suis vraiment perdue. Mais c'est là le chemin que requiert ce que tu cherches avec tant d'acharnement, un centre.

Tu te rappelles quand je t'apprenais à préparer les crêpes ? Quand tu les fais sauter en l'air, te disais-je, tu dois penser à tout, sauf à les faire retomber bien droites dans la poêle. Si tu te concentres sur leur vol, tu peux être sûre qu'elles retomberont en tas ou qu'elles s'écrabouilleront directement sur la cuisinière. C'est drôle, mais c'est justement la distraction qui nous fait parvenir au centre des choses, à leur cœur.

87

Maintenant ce n'est pas mon cœur, c'est mon estomac qui prend la parole. Il grogne et il a raison, parce que, entre une crêpe et un voyage fluvial, l'heure du dîner est arrivée. A présent je dois te quitter mais auparavant, je t'envoie un autre détestable baiser.

29 novembre

Hier, le vent a fait une victime. Je l'ai trouvée ce matin pendant ma promenade habituelle dans le jardin. Comme si mon ange gardien me l'avait suggéré, au lieu de faire comme toujours mon petit périple autour de la maison, je suis allée tout au fond, là où s'élevait autrefois le poulailler et où se trouve aujourd'hui le tas de fumier. Pendant que je longeais le muret qui nous sépare des Walter, j'ai aperçu sur le sol quelque chose de sombre. Ç'aurait pu être une pomme de pin mais ce n'était pas le cas, car, à des intervalles plutôt réguliers, la chose bougeait. J'étais sortie sans lunettes et quand j'ai eu le nez dessus, j'ai constaté qu'il s'agissait d'une jeune merlette. Pour l'attraper, j'ai failli me casser le col du fémur. Dès que j'étais sur le point de l'atteindre, elle faisait un petit saut vers l'avant. Plus jeune, je l'aurais prise en moins d'une seconde mais, à présent, je suis trop lente pour ça. A la fin, j'ai eu une idée de génie, j'ai enlevé mon foulard de ma tête et le lui ai lancé dessus. Enveloppée là-dedans, je l'ai emportée à la maison et l'ai installée dans une vieille boîte à chaussures, à l'intérieur j'ai mis des chiffons et sur le couvercle j'ai fait des trous, dont un assez gros pour qu'elle puisse y passer la tête.

Pendant que j'écris elle est là devant moi, sur le bureau, bien que je ne lui aie pas encore donné à manger parce qu'elle est trop agitée. Et puis, à la voir agitée, je m'agite moi aussi, son regard effrayé me met dans l'embarras. Si une petite fée descendait à l'instant, si elle apparaissait et m'aveuglait par sa splendeur, entre le frigo et la cuisinière, tu sais ce que je lui demanderais ? Je lui demanderais l'Anneau du roi Salomon, cet interprète magique qui permet de parler avec tous les animaux du monde. Ainsi, je pourrais dire à la merlette : « Ne t'en fais pas, ma petiote, je suis un être humain, c'est vrai, mais animé des meilleures intentions. Je te soignerai, je te donnerai à manger et quand tu seras guérie je te laisserai prendre ton vol. »

Mais parlons de nous. Hier nous nous sommes quittées dans la cuisine, avec ma parabole des crêpes, si prosaïque. Je suis presque sûre qu'elle t'a irritée. Quand on est jeune, on pense toujours que les grandes choses, pour être décrites, exigent des mots encore plus grands, emphatiques.

Peu avant ton départ, tu as laissé sous mon oreiller une lettre dans laquelle tu essayais de m'expliquer ton désarroi. Maintenant que tu es loin, je peux te dire qu'à part ce sentiment de désarroi, je n'ai rien compris à cette lettre. Tout était si tortueux, obscur. Moi, je suis quelqu'un de simple, j'appartiens à une époque différente de la tienne : si une chose est blanche je dis qu'elle est blanche, si elle est noire, noire. Ce qui aide à résoudre les problèmes, c'est l'expérience de tous les jours, c'est regarder les choses comme elles sont réellement et non comme elles devraient être, d'après untel ou untel. A partir du moment où l'on commence à jeter du lest, à éliminer ce qui ne nous appartient pas, qui nous vient de l'extérieur, on est sur la bonne voie. Bien souvent, j'ai l'impression que tes lectures t'embrouillent l'esprit au lieu de t'aider, qu'elles laissent du noir autour de toi, à la manière des seiches lorsqu'elles s'enfuient.

Avant de décider de partir, tu m'avais proposé deux possibilités : « Ou je pars un an à l'étranger, ou j'entame une psychanalyse. » Ma réaction avait été violente, tu te souviens ? Tu peux même partir trois ans, t'ai-je dit, mais tu n'iras pas une seule fois chez un psychanalyste : je ne te le permettrais pas, même si tu le payais toi-même. Tu avais été frappée par ma réaction, si excessive. Au fond, en me proposant le psychanalyste, tu croyais me proposer un moindre mal. Même si tu n'as émis aucune protestation, tu as dû penser que j'étais trop vieille pour comprendre ces choses-là, ou pas assez informée. Détrompe-toi. Enfant, j'avais déjà entendu parler de Freud. Un des frères de mon père était médecin et, comme il avait fait ses études à Vienne, il avait connu ses théories très tôt. Elles l'enthousiasmaient et, chaque fois qu'il venait déjeuner, il essayait de convaincre mes parents de leur efficacité. « Tu ne me feras jamais croire que si je rêve que je mange des spaghettis, j'ai peur de la mort, tonnait ma mère. Si je rêve de spaghettis, ça veut dire une seule chose : que j'ai faim. » Les tentatives de mon oncle pour lui expliquer que son opiniâtreté provenait d'un refoulement, que sa terreur de la mort était irréfutable parce que les spaghettis n'étaient rien d'autre que des vers et qu'un jour nous deviendrions tous des vers, ces tentatives étaient vaines. Tu sais ce que faisait ma mère, à ce moment-là ? Après un instant de silence, elle rétorquait de sa voix de soprano : « Et si je rêve de macaronis, ça veut dire quoi ? »

Mes rencontres avec la psychanalyse, pourtant, ne se réduisent pas à cette anecdote de mon enfance. Ta mère s'est fait soigner par un psychanalyste, ou présumé tel, pendant presque dix ans ; juste avant de mourir elle était encore en analyse, si bien qu'indirectement, j'ai eu l'occasion de suivre jour après jour le déroulement de cette relation. Au début, à vrai dire, elle ne me racontait rien – sur ces choses-là, tu le sais, règne le secret professionnel. Mais ce qui m'a frappée aussitôt – et dans un sens négatif – a été une sensation de dépendance immédiate et totale. Au bout d'un mois seulement, sa vie entière tournait autour de ce rendez-vous, de ce qui se passait pendant cette heure entre elle et ce monsieur. Jalousie, diras-tu. Peut-être, c'est bien possible, mais ce n'était pas l'essentiel ; ce qui me tourmentait, me mettait mal à l'aise, c'était plutôt de la voir esclave une fois de plus, après avoir été dépendante de la politique, elle l'était de ce monsieur. Ilaria l'avait connu pendant la dernière année de son séjour à Padoue, et c'était effectivement à Padoue qu'elle se rendait chaque semaine. Quand elle m'avait appris cette nouvelle activité, j'étais restée un peu perplexe et je lui avais dit : « Tu crois vraiment qu'il est nécessaire d'aller jusque là-bas pour trouver un bon médecin ? »

D'un côté, sa décision de recourir à un médecin pour sortir de son état de crise perpétuelle me soulageait. Au fond, me disais-je, si Ilaria a décidé de demander de l'aide à quelqu'un, c'est déjà un pas en avant ; mais d'un autre côté, connaissant sa fragilité, j'étais anxieuse de savoir à qui elle s'était confiée. Entrer dans la tête d'un autre requiert toujours une extrême délicatesse. « Comment l'as-tu trouvé ? lui demandai-je. C'est quelqu'un qui te l'a conseillé ? » Mais pour toute réponse, elle se contenta de hausser les épaules. « Qu'est-ce que tu peux bien comprendre ? » répliqua-t-elle, laissant sa phrase en suspens, avec un silence suffisant.

Bien qu'elle vécût à Trieste dans une maison à elle, nous avions l'habitude de déjeuner ensemble au moins une fois par semaine. Dès le début de la thérapie, nos dialogues à ces occasions furent volontairement superficiels. Nous parlions de ce qui s'était passé en ville, du mauvais temps ; s'il faisait beau et s'il ne s'était rien passé, nous restions presque silencieuses.

Mais bien vite, après son troisième ou quatrième voyage à Padoue, je m'aperçus d'un changement. Au lieu de parler avec moi de tout et de rien, elle m'accablait de questions : elle voulait tout savoir du passé, de moi, de son père, de nos relations. Il n'y avait aucune affection dans ses questions, rien que de la curiosité. Le ton était celui d'un interrogatoire ; elle répétait plusieurs fois sa question en insistant sur des détails minuscules, elle insinuait des doutes à propos d'épisodes qu'elle-même avait vécus et connaissait parfaitement ; dans ces moments-là, je n'avais pas l'impression de parler avec ma fille, mais avec un commissaire qui voulait à tout prix me faire avouer un crime. Un jour, je perdis patience et lui dis : « Sois claire, dis-moi seulement où tu veux en venir. » Elle me regarda d'un œil légèrement ironique, prit une fourchette, heurta le verre avec celle-ci et quand le verre fit cling, elle dit : « A un seul endroit, au point de départ. Je veux savoir quand et pourquoi toi et ton mari m'avez coupé les ailes. »

Ce fut le dernier déjeuner au cours duquel j'acceptai de me soumettre à cet interrogatoire ; dès la semaine suivante, par téléphone, je lui dis qu'elle pouvait venir à une condition : qu'entre nous, au lieu d'un procès, il y ait un dialogue.

Si je n'avais pas la conscience tranquille ? Bien sûr, je ne l'avais pas, il y avait beaucoup de choses dont j'aurais dû parler avec Ilaria, mais ça ne me semblait ni souhaitable, ni sain, de révéler des choses si délicates sous la pression d'un interrogatoire ; si j'avais joué son jeu, au lieu d'instaurer de nouveaux rapports entre deux personnes adultes, j'aurais été seulement et pour toujours coupable et elle victime, sans possibilité de rachat.

Quelques mois plus tard, je reparlai avec elle de sa thérapie. Désormais, avec son médecin, elle faisait des retraites qui duraient tout le week-end ; elle avait beaucoup maigri et, dans ses propos, il y avait quelque chose de fébrile que je n'avais jamais senti avant. Je lui parlai du frère de son grand-père, de ses premiers contacts avec la psychanalyse, puis, comme si de rien n'était, je lui dis : « A quelle école appartient ton psychanalyste ? – A aucune, répondit-elle, ou plutôt à une école qu'il a fondée lui-même. »

A partir de ce moment, ce qui jusque-là n'avait été qu'une appréhension devint une inquiétude véritable, profonde. Je parvins à découvrir le nom de ce médecin et, grâce à une courte enquête, je découvris aussi qu'il n'était pas médecin. Les espoirs que j'avais nourris au début sur les effets de la thérapie s'écroulèrent d'un coup. Naturellement, ce n'était pas l'absence de diplôme en soi qui me semblait louche, mais l'absence de diplôme ajoutée à l'aggravation de l'état d'Ilaria. Si la thérapie avait été valable, pensais-je, la phase initiale de malaise aurait dû être suivie d'une phase d'amélioration ; lentement, parmi les doutes et les rechutes, la connaissance aurait dû faire son chemin. Mais peu à peu, au contraire, Ilaria avait cessé de s'intéresser à tout ce qui l'entourait. Depuis plusieurs années, elle avait fini ses études et ne faisait rien, elle s'était éloignée des rares amis qu'elle avait, sa seule activité consistait à scruter ses états d'âme avec l'obsession d'un entomologiste. Le monde entier tournait autour de ce qu'elle avait rêvé la nuit, d'une phrase que son père ou moi avions prononcée vingt ans plus tôt. Face à cette détérioration de sa vie, je me sentais impuissante.

Ce n'est que trois étés plus tard, pendant quelques semaines, qu'apparut une lueur d'espoir. Un peu après Pâques, je lui avais proposé de faire un voyage ensemble ; à ma grande surprise, au lieu de refuser cette idée a priori, Ilaria, levant les yeux au-dessus de son assiette, avait dit : « Et où pourrions-nous aller ? – Je ne sais pas, avais-je répondu, où tu veux, là où nous en aurions envie. »

L'après-midi même, j'avais attendu avec impatience l'ouverture des agences de voyages. Pendant des semaines, nous les arpentâmes, à la recherche de quelque chose qui nous plût. A la fin, nous choisîmes un séjour en Grèce – la Crète et Santorin – pour la fin mai. Les détails pratiques à régler avant le départ nous unirent dans une complicité que nous n'avions jamais connue. Elle était obsédée par les valises, par la terreur d'oublier quelque chose de première importance ; pour la tranquilliser, je lui avais acheté un petit cahier : « Écris là-dedans la liste des affaires nécessaires, lui avais-je dit, une fois que tu les auras mises dans la valise, tu feras une croix à côté. »

Le soir, au moment d'aller me coucher, je m'en voulais de ne pas avoir pensé plus tôt qu'un voyage ensemble était une excellente façon de renouer notre relation. Le vendredi précédant le départ, Ilaria me téléphona, sa voix était métal-

97

lique. Je crois qu'elle était dans une cabine téléphonique en ville. « Je dois aller à Padoue, me dit-elle, je reviens au plus tard mardi soir. – Tu dois vraiment y aller ? » lui demandai-je, mais elle avait déjà raccroché.

Jusqu'au jeudi suivant, elle ne me donna plus de nouvelles. A deux heures, le téléphone sonna, sa voix hésitait entre dureté et regret. « Désolée, dit-elle, mais je ne vais plus en Grèce. » Elle attendait ma réaction et j'en faisais autant. « Moi aussi je suis désolée. De toute façon, j'y vais quand même. » Elle comprit ma déception et tenta de se justifier. « Si je pars, je me fuis moi-même », chuchota-t-elle.

Comme tu peux l'imaginer, ce furent de tristes vacances, je m'efforçais de suivre les guides, de m'intéresser au paysage, à l'archéologie. En réalité, je ne pensais qu'à ta mère, je me demandais où allait sa vie.

Ilaria, me disais-je, ressemble à un paysan qui, après avoir semé dans son potager et vu sortir les premières pousses, est saisi par la crainte qu'il puisse leur arriver quelque chose. Alors, pour les protéger des intempéries, il achète une belle toile de plastique résistant à l'eau et l'installe au-dessus ; pour éloigner les aphidiens et les larves, il les arrose abondamment d'insecticide.

Son travail ne connaît pas de trêve, jour et nuit, sans arrêt, il pense à son potager et à la meilleure façon de le protéger. Puis un matin, en soulevant la toile, il a la mauvaise surprise de trouver toutes ses plantes pourries, mortes. S'il les avait laissées pousser librement, quelques-unes seraient mortes quand même, mais d'autres auraient survécu. A côté de celles qu'il avait plantées, d'autres, poussées par le vent et les insectes, auraient grandi, certaines auraient été des mauvaises herbes et il les aurait arrachées, mais d'autres, peut-être, seraient devenues des fleurs et leurs couleurs auraient égayé la monotonie du potager. Tu comprends ? Ainsi vont les choses, il faut de la générosité dans la vie : cultiver son petit caractère sans rien voir de ce qui vous entoure, cela signifie respirer encore mais être déjà mort.

En imposant à son esprit une rigidité excessive, Ilaria avait supprimé en elle la voix du cœur. A force de discuter avec elle, je craignais moi-même de prononcer ce mot. Un jour, quand elle était adolescente, je lui avais dit : le cœur est le centre de l'esprit. Le lendemain matin sur la table de la cuisine j'avais trouvé le dictionnaire ouvert au mot « esprit », d'un trait rouge elle avait souligné la définition : liquide incolore dans lequel on peut conserver les fruits.

Désormais, le mot « cœur » évoque quelque chose de naïf, de commun. Dans ma jeunesse, il était encore possible de le nommer sans embarras, alors qu'aujourd'hui plus personne n'utilise ce terme, si ce n'est pour se référer à son mauvais fonctionnement : il ne s'agit pas du cœur dans sa globalité, seulement d'une ischémie coronarienne, d'une légère souffrance atriale ; de lui, du fait qu'il est au centre de l'âme humaine, il n'est plus question. Je me suis souvent interrogée sur les raisons de cet ostracisme. « Qui se fie à son propre cœur est un sot », disait souvent Augusto en citant la Bible. Pourquoi donc devrait-il être sot ? Peut-être parce que le cœur ressemble à une fournaise ? Parce que là-dedans il n'y a que du noir, du noir et du feu ? L'esprit est moderne alors que le cœur est ancien. Ceux qui écoutent le cœur – se dit-on alors – sont proches du monde animal, de l'incontrôlé ; ceux qui écoutent la raison sont proches des réflexions les plus hautes. Et s'il n'en était pas ainsi, si c'était exactement le contraire qui était vrai ? Si c'était cet excès de rigueur qui appauvrissait la vie ?

Pendant le voyage, en rentrant de Grèce, j'avais pris l'habitude de passer une partie de la matinée près de la passerelle de commandement. J'aimais bien lorgner à l'intérieur, regarder le radar et toutes ces machines compliquées qui disaient où nous allions. Un jour, en observant les différentes antennes qui vibraient dans l'air, je me suis dit que l'homme ressemble de plus en plus à une radio qui ne peut capter qu'une fréquence sonore. La même chose se produit avec les petites radios qu'on nous offre gratuitement avec les barils de lessive : bien que toutes les stations soient dessinées sur le cadran, quand on tourne le bouton on ne peut pas en recevoir plus d'une ou deux, toutes les autres continuent à bourdonner. J'ai l'impression que l'utilisation excessive de l'esprit produit à peu près le même effet : de toute la réalité qui nous entoure, nous n'arrivons à capter qu'une petite fraction. Et souvent, dans cette fraction règne la confusion parce qu'elle est pleine de mots et que les mots, la plupart du temps, nous font tourner en rond au lieu de nous conduire dans un lieu plus vaste.

La compréhension exige le silence. Quand j'étais jeune je l'ignorais, je le sais maintenant que je tourne à travers la maison, muette et solitaire, comme un poisson dans son bocal de cristal. C'est un peu comme si tu nettoyais un sol qui est sale avec un balai ou avec un chiffon humide : si tu utilises le balai, une grande partie de la poussière s'envole et retombe sur les objets proches ; si tu utilises le chiffon humide, le sol devient brillant et lisse. Le silence est comme le chiffon humide, il éloigne pour toujours l'opacité de la poussière. L'esprit est prisonnier des mots, s'il possède un rythme, c'est le rythme désordonné des pensées ; alors que le cœur respire, de tous les organes c'est le seul à battre, et c'est cette pulsation qui lui permet d'être en harmonie avec des pulsations plus fortes. Il m'arrive parfois, plus par distraction que pour autre chose, de laisser la télévision allumée tout l'après-midi ; même si je ne la regarde pas, son bruit me suit à travers les pièces et le soir, quand je vais me coucher, je suis beaucoup plus nerveuse que d'habitude, j'ai du mal à m'endormir. Le bruit continuel, le vacarme, sont une sorte de drogue, quand on y est habitué on ne peut plus s'en passer.

Je ne veux pas aller trop loin, pas maintenant. Dans les pages que j'ai écrites aujourd'hui, c'est un peu comme si j'avais préparé un gâteau en mélangeant plusieurs recettes : un peu d'amandes, puis la *ricotta*, des raisins secs et du rhum, des biscuits de Savoie et du massepain, du chocolat et des fraises – bref une de ces choses terrifiantes que tu m'as fait goûter une fois, en me disant qu'il s'agissait de *nouvelle cuisine*. Un salmigondis ? Peut-être. J'imagine que, si un philosophe lisait cela, il ne pourrait s'empêcher de tout souligner en rouge, comme les vieilles institutrices. « Incongru, écrirait-il, hors sujet, dialectiquement indéfendable. »

Et si ça tombait entre les mains d'un psychologue, tu vois ça d'ici ? Il pourrait écrire tout un essai sur l'échec de mes relations avec ma fille, sur tout ce que je refoule. Même si j'avais refoulé quelque chose, quelle importance désormais ?

J'avais une fille et je l'ai perdue. Elle est morte des suites d'un accident de voiture : ce jour-là, je lui avais révélé que ce père qui, d'après elle, lui avait fait tant de mal, n'était pas son vrai père. Cette journée est présente devant moi comme la pellicule d'un film, sauf qu'au lieu de se dévider dans le projecteur elle est clouée à un mur. Je connais par cœur le déroulement des scènes, je connais leurs moindres détails. Rien ne m'échappe, tout est à l'intérieur de moi, bat dans mes pensées quand je suis réveillée et quand je dors. Cette pulsation continuera après ma mort.

La merlette s'est réveillée, à intervalles réguliers elle sort la tête de l'ouverture et pousse un *piou* décidé. « J'ai faim, semble-t-elle dire, qu'est-ce que tu attends pour me donner à manger ? » Je me suis levée, j'ai ouvert le frigo, j'ai regardé s'il y avait quelque chose qui pourrait lui convenir. N'ayant rien trouvé, j'ai téléphoné à M. Walter pour savoir s'il avait des vers. Tout en formant le numéro, j'ai dit à la merlette : « Tu as de la chance, petiote, d'être née d'un œuf et d'avoir oublié, après ton premier vol, à quoi ressemblent tes parents. »

30 novembre

Ce matin, un peu avant neuf heures, Walter est arrivé avec sa femme et un sachet de vers. Il a réussi à s'en faire donner par un de ses cousins qui est passionné de pêche. C'étaient des larves de farine. Il m'a aidée à extraire délicatement la merlette de sa boîte, sous les plumes moelleuses de sa gorge son cœur battait à tout rompre. Avec une petite pince en métal, j'ai pris des vers dans l'assiette et les lui ai offerts. Mais j'avais beau les agiter de manière appétissante devant son bec, elle ne voulait rien savoir. « Ouvrez-lui le bec avec un bâtonnet », m'a alors conseillé M. Walter, forcez-le avec vos doigts », mais moi évidemment je n'avais pas le courage de le faire. A un moment je me suis souvenue – nous avons élevé ensemble tant de petits oiseaux – qu'il faut chatouiller un côté de leur bec, et c'est ce que j'ai fait. Et en effet, comme s'il y avait eu un ressort, la merlette a aussitôt ouvert tout grand le bec. Avec trois larves elle a été rassasiée. Mme Razman a mis la cafetière sur le feu – moi, je ne peux plus le faire depuis que ma main est handicapée – et nous sommes restés à bavarder de choses et d'autres. Sans leur gentillesse et leur disponibilité, ma vie serait bien plus difficile. Dans quelques jours ils iront chez un pépiniériste acheter des bulbes et des graines pour le printemps prochain. Ils m'ont invitée à y aller avec eux. Je n'ai dit ni oui ni non, nous sommes convenus de nous téléphoner demain à neuf heures.

Ce jour-là, c'était le 8 mai. J'avais passé la matinée à m'occuper du jardin, les ancolies avaient fleuri et le cerisier était couvert de bourgeons. A l'heure du déjeuner, sans prévenir, ta mère est apparue. Elle est arrivée dans mon dos, en silence. « Surprise ! » a-t-elle crié à l'improviste, et j'ai eu si peur que j'ai lâché mon râteau. L'expression de son visage contrastait avec l'enthousiasme faussement joyeux de l'exclamation. Elle était jaune, elle avait les lèvres serrées. Tout en parlant, elle se passait continuellement la main dans les cheveux, elle les tirait, mordillait une mèche.

Les derniers temps, c'était son état habituel : en la voyant ainsi je ne me suis pas alarmée, pas plus que les autres fois. Je lui ai demandé où tu étais. Elle m'a dit qu'elle t'avait laissée jouer chez une amie. Pendant que nous nous dirigions vers la maison, elle a tiré de sa poche un petit bouquet de myosotis tout fripé. « C'est la fête des mères », a-t-elle dit, et elle est restée immobile à me regarder, les fleurs à la main, sans se décider à faire un pas. Alors j'ai fait ce pas, je me suis approchée d'elle et je l'ai serrée dans mes bras affectueusement, en lui disant merci. Quand j'ai senti son corps contre le mien, j'ai éprouvé comme un malaise. Il y avait en elle une rigidité terrible, quand je l'avais étreinte elle s'était crispée encore plus. J'avais l'impression que son corps, à l'intérieur, était totalement creux, il en sortait de l'air froid, à la manière des grottes. A ce moment-là, je m'en souviens bien, j'ai pensé à toi. Que deviendra cette enfant, me suis-je demandé, avec une mère dans un tel état ? Au fil du temps, la situation empirait au lieu de s'améliorer, j'étais inquiète pour toi, comment allais-tu grandir ? Ta mère était très jalouse et elle t'emmenait chez moi le moins souvent possible. Elle voulait te préserver de mon influence négative. Si je l'avais abîmée, elle, je n'arriverais pas à t'abîmer, toi.

C'était l'heure du déjeuner, et après notre embrassade, je suis allée dans la cuisine pour préparer quelque chose. La température était douce. Nous avons mis la table en plein air, sous les glycines. J'ai sorti la nappe à petits carreaux verts et blancs et, au centre de la table, j'ai placé un vase avec les myosotis. Tu vois ? Je me souviens de tout avec une précision incroyable malgré ma mémoire flageolante. Est-ce que je sentais que c'était la dernière fois que je la voyais vivante ? Ou bien, après le drame, ai-je essayé de dilater artificiellement le temps passé avec elle ? Qui sait ? Qui peut le dire ?

Comme je n'avais rien de prêt, j'ai cuisiné une sauce tomate. Pendant qu'elle finissait de cuire, j'ai demandé à Ilaria si elle voulait des *penne* ou des *fusilli*[1]. De dehors, elle m'a répondu : « Ça m'est égal », et j'ai donc jeté les *fusilli* dans l'eau. Quand nous nous sommes assises, je lui ai posé quelques questions sur toi et elle m'a répondu de manière évasive. Au-dessus de nos têtes, il y avait un va-et-vient continuel d'insectes. Ils entraient dans les fleurs, en sortaient, leur bourdonnement couvrait presque notre conversation. A un moment, quelque chose de noir est tombé dans l'assiette de ta mère. « C'est une guêpe. Tue-la, tue-la ! » a-t-elle hurlé en bondissant de sa chaise et en renversant tout. J'ai alors tendu le cou pour regarder, j'ai vu que c'était un bourdon et je lui ai dit : « Ce n'est pas une guêpe, c'est un bourdon, c'est inoffensif. » Après l'avoir éloigné de la

---

1. Variétés de pâtes. *(N. d. T.)*

nappe, j'ai remis des pâtes dans l'assiette d'Ilaria. Encore bouleversée, elle s'est rassise à sa place, a pris sa fourchette, a joué un peu avec en la faisant passer d'une main à l'autre, puis elle a appuyé ses coudes sur la table et a déclaré : « J'ai besoin d'argent. » Sur la nappe où étaient tombés les *fusilli*, il restait une grande tache rouge.

Ses problèmes d'argent duraient depuis plusieurs mois. Déjà, avant Noël de l'année précédente, Ilaria m'avait avoué avoir signé des papiers en faveur de son analyste. J'avais demandé de plus amples explications et, comme toujours, elle avait éludé la réponse. « Des garanties, avait-elle répondu, une pure formalité et rien d'autre. » C'était son attitude terroriste, quand elle devait me dire une chose, elle ne la disait qu'à moitié. Ainsi, elle déchargeait son angoisse sur moi, après quoi elle ne me donnait pas les informations nécessaires pour que je puisse l'aider. Il y avait dans tout cela un sadisme subtil. Et en plus du sadisme, un besoin féroce d'être toujours le centre de mes inquiétudes. Mais la plupart du temps, ses sorties n'étaient que des boutades.

Par exemple, elle disait : « J'ai un cancer des ovaires », et moi, après une petite enquête fiévreuse, je découvrais qu'elle était juste allée faire des analyses de routine, comme beaucoup de femmes. Tu comprends ? C'est un peu comme quand on crie au loup. Au cours des dernières années, elle m'avait annoncé tant de tragédies que moi, à la fin, j'avais cessé d'y croire, ou j'y croyais un peu moins. Ainsi, quand elle m'avait dit avoir signé des papiers, je n'y avais pas prêté beaucoup d'attention, je n'avais pas insisté pour en savoir davantage. Par-dessus tout, j'étais épuisée par ce jeu de massacre. Même si j'avais insisté, même si je l'avais appris plus tôt, cela n'aurait servi à rien car elle avait déjà signé les papiers depuis longtemps, sans rien me demander.

La catastrophe à proprement parler survint à la fin février. Alors seulement, j'appris qu'avec ces papiers, Ilaria avait garanti les affaires de son médecin pour une valeur de trois cents millions de lires. Au cours de ces deux mois, la société pour laquelle elle avait signé la fidéjussion avait fait faillite, il y avait un trou de presque deux milliards et les banques avaient commencé à demander le retour des sommes engagées. C'est alors que ta mère est venue pleurer chez moi, me demandant ce qu'elle devait faire. En fait, la garantie était constituée par le logement dans lequel elle vivait avec toi, que les banques réclamaient. Tu peux imaginer ma fureur. A trente ans passés, non seulement ta mère était incapable d'être financièrement autonome, mais elle avait engagé le seul bien qu'elle possédât, l'appartement que j'avais mis à son nom au moment de ta naissance. J'étais folle de rage mais je ne le lui ai pas montré. J'ai affiché un air serein et j'ai dit : « Voyons ce que l'on peut faire. »

Comme elle était tombée dans une apathie totale, j'avais cherché un bon avocat. Je m'étais improvisée détective, j'avais rassemblé toutes les informations qui nous seraient utiles pour gagner le procès contre les banques. J'appris ainsi que, depuis plusieurs années déjà, ce médecin lui administrait de fortes doses de neuroleptiques. Pendant les séances, si elle était un peu déprimée, il lui offrait du whisky. Il ne cessait de lui répéter qu'elle était son disciple préféré, la plus douée, et que bien vite elle pourrait se mettre à son compte, ouvrir un cabinet où elle soignerait les gens à son tour. Rien qu'à répéter ces phrases, j'ai des frissons. Tu te rends compte : Ilaria, avec sa fragilité, sa confusion, son absence totale d'équilibre, aurait pu soigner des gens du jour au lendemain ! Si ce krach ne s'était pas produit, c'est ce qui serait sûrement arrivé : sans rien me dire, elle se serait mise à exercer le même métier que son gourou.

Naturellement, elle n'avait jamais osé me parler explicitement de ce projet. Quand je lui demandais pourquoi elle n'utilisait pas son diplôme de lettres pour en faire quelque chose, elle répondait avec un petit sourire rusé : « Je l'utiliserai, tu verras... »

Il y a des choses qui font beaucoup de mal quand on y pense. Et quand on les dit, elles suscitent une peine encore plus grande. Durant ces mois impossibles, j'avais compris une chose à son sujet, une chose qui ne m'avait jamais effleurée jusque-là et dont je me demande même si j'ai raison de te parler ; de toute facon, comme j'ai décidé de ne rien te cacher, je vide mon sac. Voilà, tout à coup, vois-tu, j'avais compris ceci : ta mère n'était pas intelligente. J'ai eu beaucoup de mal à le comprendre, à l'accepter, un peu parce qu'on se fait toujours des illusions sur ses enfants, un peu parce que, avec son faux savoir, sa dialectique, elle avait réussi à tromper son monde. Si j'avais eu le courage de m'en apercevoir à temps, je l'aurais protégée davantage, je l'aurais aimée avec plus de fermeté. En la protégeant, j'aurais peut-être réussi à la sauver.

Ça, c'était la chose la plus importante et quand je m'en suis aperçue, il n'y avait presque plus rien à faire. Vu l'ensemble de la situation, la seule décision possible était de la faire déclarer irresponsable de ses actes, d'intenter un procès pour envoûtement. Le jour où je l'informai que nous avions décidé – l'avocat et moi – de choisir cette solution, ta mère eut une crise d'hystérie. « Tu le fais exprès, criait-elle, tout ça, c'est une manœuvre pour me prendre la petite. » Au fond d'elle-même pourtant, je suis sûre qu'elle pensait surtout une chose : si on la reconnaissait irresponsable de ses actes, sa carrière serait compromise pour toujours. Elle marchait les yeux bandés au bord d'un gouffre, et elle se croyait sur un pré pour un pique-nique. Après cette crise, elle m'ordonna de me débarrasser de l'avocat et de ne plus m'occuper de cette affaire. Elle prit l'initiative d'en consulter un autre, et jusqu'au jour des myosotis, je n'en sus pas davantage.

Tu comprends mon état d'esprit quand, les coudes appuyés sur la table, elle me demanda de l'argent ? Bien sûr, je sais, je suis en train de parler de ta mère, et tu ne sens peut-être dans mes mots qu'une cruauté vide, et tu penses qu'elle avait raison de me haïr. Mais souviens-toi de ce que je t'ai dit au début : ta mère était ma fille, j'ai perdu bien plus que tu n'as perdu. Alors que toi, tu es innocente de cette perte, moi je ne peux pas en dire autant, loin de là. Si tu as parfois l'impression que j'en parle avec détachement, tâche d'imaginer l'étendue de ma souffrance, une souffrance que les mots ne peuvent exprimer. Mon détachement n'est qu'apparent, c'est le vide pneumatique grâce auquel je peux continuer à parler.

Lorsqu'elle me demanda de payer ses dettes, pour la première fois de ma vie je lui dis non, catégoriquement. « Je ne suis pas une banque suisse, lui répondis-je, je n'ai pas cette somme.

113

Et même si je l'avais, je ne te la donnerais pas, tu es assez grande pour être responsable de tes actes. J'avais une seule demeure et je l'ai mise à ton nom, si tu l'as perdue, cela ne me regarde plus. » A ce moment-là, elle s'est mise à pleurnicher. Elle commençait une phrase, elle la laissait en suspens, elle en commençait une autre : dans leur contenu, dans la façon dont elles se succédaient, je n'arrivais pas à saisir le moindre sens, la moindre logique. Après dix minutes de lamentations, elle était arrivée à son idée fixe : son père et ses fautes présumées, et en premier lieu le peu d'attention qu'il lui avait accordée. « Il faut un dédommagement, tu comprends ? » me criait-elle, avec une lueur terrible dans les yeux. Alors, je ne sais pas comment, j'ai explosé. Le secret que j'avais juré d'emporter dans la tombe est monté à mes lèvres. A peine était-il sorti que je le regrettais déjà, je voulais le rattraper, j'aurais fait n'importe quoi pour ravaler ces mots, mais c'était trop tard. « Ton père n'est pas ton vrai père », ces mots étaient déjà arrivés à ses oreilles. Son visage devint encore plus terreux. Elle se leva lentement, en me fixant. « Qu'est-ce que tu as dit ? » Sa voix était à peine audible. Étrangement, j'étais de nouveau calme. « Tu as bien entendu, lui répondis-je. J'ai dit que ton père n'était pas mon mari. »

Comment réagit Ilaria ? Tout simplement en

s'en allant. Elle se tourna avec une démarche qui ressemblait davantage à celle d'un robot qu'à celle d'un être humain, se dirigea vers la sortie du jardin. « Attends ! Il faut que nous parlions ! » criai-je d'une voix insupportablement stridente.

Pourquoi ne me suis-je pas levée, pourquoi ne lui ai-je pas couru après, pourquoi, au fond, n'ai-je rien fait pour l'arrêter ? Parce que, moi aussi, j'étais restée pétrifiée par mes propres mots. Essaie de comprendre, ce que j'avais gardé en moi pendant tant d'années, avec tant de fermeté, était sorti tout à coup. En moins d'une seconde, comme un canari qui, à l'improviste, trouve ouverte la porte de sa cage, le secret s'était envolé, avait rejoint la seule personne qu'il ne devait pas rejoindre.

Cet après-midi-là, à six heures, pendant que j'arrosais les hortensias, encore toute secouée, une patrouille de police est venue m'avertir de l'accident.

C'est le soir, il est tard et j'ai dû faire une pause. J'ai donné à manger à Buck et à la merlette, j'ai mangé moi aussi, j'ai un peu regardé la télévision. Ma cuirasse en lambeaux ne me permet pas de supporter longtemps les émotions fortes. Pour tenir bon et continuer, je dois me distraire, reprendre haleine.

Comme tu le sais, ta mère ne mourut pas tout

de suite, elle resta dix jours entre la vie et la mort.
Durant ces jours-là, je fus constamment auprès
d'elle, j'espérais qu'un instant au moins elle
ouvrirait les yeux, qu'il me serait donné une dernière chance de lui demander pardon. Nous
étions seules dans une petite pièce pleine de
machines, un écran de télévision disait que son
cœur fonctionnait encore, un autre que son cerveau était presque arrêté. Le médecin qui la sui-
vait m'avait dit que, parfois, cela fait du bien aux
patients qui sont dans cet état d'entendre des sons
qu'ils ont aimés. Je m'étais donc procuré sa
chanson préférée, quand elle était enfant. Avec
un petit lecteur de cassettes, je la lui faisais écouter pendant des heures. Et effectivement elle a dû
ressentir quelque chose parce que, dès les premières notes, l'expression de son visage a changé, son visage s'est détendu et ses lèvres ont
commencé à faire les mimiques des nourrissons
qui viennent de manger. On aurait dit un sourire
de satisfaction. Qui sait ? Peut-être, dans la petite partie de son cerveau encore active, conser-
vait-elle le souvenir d'une époque sereine, et
elle s'y était réfugiée. Cette légère modification
m'avait remplie de joie. Dans ces situations, on
s'accroche à des riens ; je ne me lassais pas de lui
caresser la tête, de lui répéter : « Mon trésor, il
faut que tu y arrives, nous avons encore toute une
vie devant nous à vivre ensemble, nous recom-

mencerons à zéro, d'une manière différente. »
Pendant que je lui disais cela, une image me
revenait à l'esprit : elle avait quatre ou cinq ans,
je la voyais se promener dans le jardin en tenant
par un bras sa poupée préférée, lui parler continuellement. J'étais dans la cuisine, je n'entendais
pas sa voix. De temps en temps, un éclat de rire
me parvenait d'un point ou un autre de la pelouse, un rire franc, joyeux. Si elle a été heureuse
une fois, me disais-je, elle pourra l'être encore.
Pour la faire renaître il faut partir de là, de cette
petite fille.

Naturellement, la première chose dont
m'avaient informée les médecins après l'accident
était que, si elle survivait, ses fonctions ne
seraient plus celles d'avant, elle risquait de rester
paralysée ou handicapée mentale. Et tu sais
quoi ? Dans mon égoïsme maternel, je ne me
souciais que d'une chose : qu'elle continuât à
vivre. Comment, cela n'avait aucune importance.
Ou plutôt, la pousser dans un fauteuil roulant, la
laver, la nourrir, m'occuper d'elle et n'avoir que
ce but dans ma vie aurait été la meilleure manière
d'expier intérieurement ma faute. Si mon amour
avait été vrai, s'il avait été vraiment grand, j'aurais prié pour qu'elle meure. A la fin pourtant,
Quelqu'un l'aima davantage que moi ; le neuviè-
me jour, en fin d'après-midi, ce vague sourire
disparut de son visage et elle mourut. Je m'en

117

rendis compte tout de suite, j'étais là à ses côtés mais je n'avertis pas l'infirmière qui était de garde ; je voulais rester encore un peu avec elle. Je lui caressai le visage, serrai ses mains entre les miennes comme quand elle était petite en continuant à répéter « mon trésor, mon trésor ». Puis, sans lâcher sa main, je me suis agenouillée au pied du lit et j'ai commencé à prier. Tout en priant, je me suis mise à pleurer.

Quand l'infirmière m'a touché l'épaule j'étais encore en train de pleurer. « Allons, venez, m'a-t-elle dit, je vais vous donner un calmant. » Je n'ai pas voulu de son calmant, je ne voulais pas qu'un médicament atténue ma souffrance. Je suis restée là jusqu'à ce qu'ils la transportent à la morgue. Puis j'ai pris un taxi et je t'ai retrouvée chez l'amie qui t'hébergeait. Le soir même tu étais chez moi. « Où est maman ? » m'as-tu demandé pendant le dîner. « Ta maman est partie, t'ai-je dit alors, elle est partie en voyage, un long voyage jusqu'au ciel. » Tu as penché ta grosse tête blonde et tu as continué à manger en silence. Dès que tu as eu fini, tu m'as demandé d'une voix grave : « Je peux lui dire au revoir, mamie ? – Mais bien sûr, ma chérie », t'ai-je répondu, et je t'ai prise dans mes bras et emmenée au jardin. Nous sommes restées longtemps debout sur la pelouse ; de ta menotte, tu disais au revoir aux étoiles.

1er décembre

Ces jours-ci, j'ai été d'une humeur massa-
crante. Elle n'avait pas de raison précise, le corps
est ainsi fait, il a ses équilibres internes, un rien
suffit à les altérer. Hier matin, quand Mme
Razman est venue avec les provisions et qu'elle a
vu mon visage sombre, elle a dit qu'à son avis
c'était à cause de la lune. La nuit dernière effectivement c'était la pleine lune. Et si la lune peut
déplacer les mers et faire pousser plus vite la chi-
corée dans le potager, pourquoi n'aurait-elle pas
le pouvoir d'agir aussi sur nos humeurs ? De quoi
sommes-nous faits, sinon d'eau, de gaz et de
minéraux ? Quoi qu'il en soit, avant de s'en aller
elle m'a donné un gros paquet de revues à sensation, si bien que j'ai passé toute la journée à
m'abrutir, plongée dans cette lecture. Chaque
fois, je m'y laisse prendre ! Dès que je les vois je
me dis, c'est bon, je les feuillette un peu, pas plus
d'une demi-heure et après j'irai faire quelque

chose de plus sérieux et important. Et au lieu de ça, je n'arrive pas à les lâcher avant de les avoir lues de bout en bout. Je m'attriste devant la vie malheureuse de Caroline de Monaco, je m'indigne devant les amours prolétaires de sa sœur, je palpite à chaque nouvelle émouvante que l'on me raconte avec force détails. Et les lettres ! Je suis toujours stupéfaite devant tout ce que les gens ont le courage d'écrire ! Je ne suis pas une vieille bigote, tout au moins je ne le pense pas, mais je t'avoue que certaines libertés me laissent plutôt perplexe.

Aujourd'hui le thermomètre a encore baissé. Je ne suis pas allée faire ma promenade au jardin, je craignais que l'air soit trop glacial ; avec le froid qui est en moi, il aurait pu me briser comme une vieille branche gelée. Qui sait si tu me lis encore ou si, me connaissant mieux, tu as été prise d'un tel refus que tu n'as pas pu continuer ta lecture. Je ressens en ce moment une urgence telle que je ne peux pas m'arrêter ici, m'esquiver. Même si j'ai gardé ce secret pendant tant d'années, à présent cela m'est impossible. Je t'ai dit, au début, que face à ton désarroi dû à l'absence d'un centre, je ressentais un désarroi semblable au tien, peut-être pire. Je sais que ta référence au centre – ou mieux, à son absence – est étroitement liée au fait que tu n'as jamais su qui était ton père. Autant il avait été tristement naturel

pour moi de te dire ce qu'était devenue ta mère,
autant, face à tes questions sur ton père, je n'ai
jamais été en mesure de répondre. Comment
l'aurais-je pu ? Je n'avais pas la moindre idée de
son identité. Un été, Ilaria avait passé de longues
vacances seule en Turquie, et elle était rentrée
enceinte. Elle avait plus de trente ans et à cet âge
les femmes qui n'ont pas encore eu d'enfant sont
prises d'une frénésie étrange, elles en veulent un
à tout prix, comment et avec qui, cela n'a aucune
importance.

D'ailleurs, à l'époque, elles étaient presque
toutes féministes ; avec un groupe d'amies, ta
mère avait fondé un cercle. Il y avait beaucoup de
vrai dans ce qu'elles disaient, des idées que je
partageais, mais aussi des exagérations, des idées
malsaines et tordues. L'idée, entre autres, que les
femmes étaient totalement maîtresses de leur
propre corps et que, donc, il ne dépendait que
d'elles de faire des enfants. L'homme n'était rien
d'autre qu'une nécessité biologique et il fallait
l'utiliser en tant que tel. Ta mère n'a pas été la
seule à se comporter ainsi, au moins deux ou trois
de ses amies ont eu des enfants de la même
façon. Ce n'est pas incompréhensible, tu sais. La
capacité de donner la vie procure un sentiment de
toute-puissance. La mort, l'obscurité et la précarité s'éloignent, tu mets au monde une autre partie de toi, face à ce miracle tout disparaît.

A l'appui de leurs thèses, ta mère et ses amies citaient le monde animal : « Les femelles, disaient-elles, ne rencontrent les mâles qu'au moment de l'accouplement, puis chacun s'en va de son côté et les petits restent avec leur mère. » Je ne suis pas en mesure de vérifier si c'est vrai ou faux. Mais je sais que nous sommes des êtres humains, chacun de nous naît avec un visage différent de tous les autres, et ce visage nous accompagne au long de notre vie. Une antilope naît avec une tête d'antilope, un lion avec une tête de lion, ils sont rigoureusement identiques à tous les autres animaux de même espèce. Chez les animaux l'aspect reste toujours le même, alors que le visage est le propre de l'homme, et de lui seul. Le visage, tu comprends ? Dans le visage il y a tout. Il y a ton histoire, ton père, ta mère, tes grands-parents et tes arrière-grands-parents, peut-être même un oncle éloigné dont plus personne ne se souvient. Derrière le visage il y a la personnalité, ce que tes ancêtres t'ont légué de bon et de moins bon. Le visage est notre première identité, ce qui nous permet de prendre place dans la vie en disant : me voici. Et donc, vers treize, quatorze ans, quand tu as commencé à passer des heures entières devant la glace, j'ai compris que c'était justement ce que tu cherchais. Bien sûr, tu regardais tes boutons et tes points noirs, ou ton nez soudain trop grand, mais tu regardais aussi autre chose. Soustrayant ou éliminant les traits du côté maternel, tu essayais d'imaginer le visage de l'homme qui t'avait mise au monde. La chose à laquelle ta mère et ses amies n'avaient pas suffisamment réfléchi était celle-ci : un jour leur enfant, en s'examinant dans la glace, comprendrait qu'en lui il y avait quelqu'un d'autre, et il voudrait tout savoir sur cet autre. Il y a même des gens qui, leur vie durant, poursuivent le visage de leur mère ou de leur père.

Ilaria était convaincue que le poids de la génétique dans le déroulement d'une vie est à peu près nul. Pour elle, seuls comptaient l'éducation, le milieu, la façon de grandir. Je ne partageais pas ce point de vue, pour moi ces deux facteurs allaient de pair : le milieu, et ce que nous avons en nous dès la naissance.

Jusqu'à ton entrée à l'école je n'ai pas eu de problème, tu ne te posais jamais de questions sur ton père, et moi je me gardais bien de t'en parler. Avec l'entrée à l'école primaire, à cause de tes camarades et des rédactions perfides que donnaient les institutrices, tu t'es soudain aperçue que dans ta vie de tous les jours il manquait quelque chose. Dans ta classe, naturellement, il y avait beaucoup d'enfants dont les parents étaient séparés ou en situation irrégulière mais aucun, en ce qui concerne le père, ne connaissait le vide total qui était le tien. Comment aurais-je

123

pu t'expliquer, à six, sept ans, ce que ta mère avait fait ? Et puis au fond, je ne savais rien, si ce n'est que tu avais été conçue là-bas, en Turquie. Ainsi, pour inventer une histoire un peu crédible, ai-je exploité le seul élément certain, le pays d'origine.

J'avais acheté un livre de contes orientaux et tous les soirs, je t'en lisais. En me fondant là-dessus, j'en avais inventé un rien que pour toi ; tu t'en souviens ? Ta mère était une princesse et ton père un prince du Croissant vert. Comme tous les princes et les princesses, ils s'aimaient tellement qu'ils étaient prêts à mourir l'un pour l'autre. Mais à la cour, beaucoup étaient jaloux de cet amour. Le plus jaloux de tous était le Grand Vizir, un homme puissant et maléfique. C'était justement lui qui avait jeté un terrible sortilège sur la princesse et l'enfant qu'elle portait. Par chance, le prince avait été averti par un serviteur fidèle et ta mère, déguisée en paysanne, avait quitté le château en pleine nuit et s'était réfugiée ici, dans la ville où tu as vu le jour.

« Je suis la fille d'un prince ? me demandais-tu alors, les yeux rayonnants. – Bien sûr, te répondais-je, mais c'est un secret ultra-secret, un secret que tu ne dois révéler à personne. » Qu'espérai-je faire, avec ce mensonge bizarre ? Rien, juste t'offrir quelques années sereines de

124

plus. Je savais qu'un jour tu cesserais de croire en mon histoire stupide. Je savais aussi que ce jour-là, très probablement, tu commencerais à me détester. Malgré tout, il m'était absolument impossible de ne pas te la raconter. Même en rassemblant tout mon courage, je n'aurais jamais réussi à te dire : « J'ignore qui est ton père, peut-être que ta mère elle-même l'ignorait. »

C'étaient les années de la libération sexuelle, l'activité érotique était considérée comme une fonction normale : il fallait s'y adonner chaque fois que l'on en avait envie, tantôt avec l'un, tantôt avec l'autre. J'ai vu apparaître aux côtés de ta mère des dizaines de jeunes hommes, je ne me souviens pas d'un seul qui ait tenu plus d'un mois. Cette précarité amoureuse avait bouleversé Ilaria qui était déjà instable. Même si je ne lui ai jamais rien interdit, si je ne l'ai jamais critiquée de quelque façon que ce soit, j'étais plutôt inquiète devant cette soudaine liberté de mœurs. Ce n'était pas tant la promiscuité qui me frappait que l'appauvrissement des sentiments. Une fois tombés les interdits et l'unicité de la personne aimée, la passion aussi était tombée. Ilaria et ses amis m'apparaissaient comme des invités à un banquet affligés d'un rhume terrible ; par politesse ils mangeaient tout ce qu'on leur offrait, mais ils ne sentaient aucun goût : carottes, rôtis et beignets avaient pour eux la même saveur.

Dans le choix de ta mère, cette nouvelle liberté de mœurs jouait sûrement un rôle, mais il y avait peut-être aussi autre chose. Que savons-nous du fonctionnement de l'esprit ? Beaucoup de choses, mais pas tout. Qui peut dire alors si dans un lieu obscur de son inconscient, elle n'a pas eu l'impression que cet homme qui se tenait devant elle était son père ? Une grande partie de ses inquiétudes, de son instabilité ne venaient-elles pas de là ? Tant qu'elle était petite, adolescente et jeune fille, je ne me suis jamais posé cette question, le mensonge dans lequel elle avait grandi était parfait. Mais quand elle est rentrée de ce voyage, enceinte de trois mois, tout cela m'est revenu à l'esprit. On n'échappe pas à l'hypocrisie, aux mensonges. Ou plutôt, on peut y échapper un moment, puis, quand on s'y attend le moins, ils réaffleurent, ils ne sont plus dociles, apparemment inoffensifs comme quand on les a prononcés, non ; pendant la période d'éloignement, ils se sont transformés en monstres horribles, en ogres voraces. Tu les découvres et une seconde après, tu es emporté, ils te dévorent, toi et tout ce qui t'entoure, avec une avidité terrible. Un jour, à dix ans, tu es revenue de l'école en pleurant. « Menteuse ! » m'as-tu dit, et tu es aussitôt allée t'enfermer dans ta chambre. Tu avais découvert le mensonge du conte.

126

« Menteuse » pourrait être le titre de mon autobiographie. Depuis que je suis née, je n'ai dit qu'un seul mensonge.

Et avec lui j'ai détruit trois vies.

4 décembre

La merlette est encore devant moi sur le bureau. Elle a un peu moins d'appétit que les jours précédents. Au lieu de m'appeler sans cesse, elle reste immobile à sa place, ne sort plus la tête du trou de la boîte, je vois juste pointer les plumes du sommet de son crâne. Ce matin, malgré le froid, je suis allée chez le pépiniériste avec les Razman. J'ai hésité jusqu'au dernier moment, la température était telle qu'elle aurait découragé un ours et puis, dans une niche obscure de mon cœur, une voix me disait : à quoi bon planter d'autres fleurs ? Mais pendant que je formais le numéro des Razman pour me décommander, j'ai vu par la fenêtre les couleurs éteintes du jardin et je me suis repentie de mon égoïsme. Il se peut que je ne voie pas un autre printemps, mais toi tu en verras sûrement d'autres.

Comme je suis anxieuse ces jours-ci ! Quand je n'écris pas, je tourne en rond dans toutes les

129

pièces sans trouver la paix nulle part. Des quelques activités qui sont à ma portée, aucune ne m'apporte un peu de tranquillité, aucune ne me distrait de mes souvenirs tristes. J'ai l'impression que le fonctionnement de la mémoire ressemble un peu à celui d'un congélateur. Tu sais ce qui se passe quand tu sors un aliment qui est resté longtemps là-dedans ? Au début il est aussi rigide qu'une brique, il n'a ni odeur ni saveur, est recouvert d'une patine blanche; mais dès que tu le mets sur le feu, tout doucement il reprend sa forme et sa couleur, il remplit la cuisine de son arôme. De même, les souvenirs tristes sommeillent longtemps dans l'une des innombrables cavernes de la mémoire ; ils y restent parfois des années, des décennies, toute une vie. Puis un beau jour ils reviennent à la surface, la douleur qui les avait accompagnés est de nouveau présente, aussi intense et cuisante que le premier jour, bien des années auparavant.

J'étais en train de te parler de moi, de mon secret. Mais pour raconter une histoire il faut partir du début et le début se trouve dans ma jeunesse, dans l'isolement un peu atypique où j'avais grandi et où je continuais à vivre. De mon temps, l'intelligence pour une femme était un don négatif si l'on voulait se marier ; pour les mœurs de l'époque, une femme ne devait être rien d'autre qu'une génitrice passive et aimante. Une femme qui aurait posé des questions, une épouse curieuse, inquiète, n'était vraiment pas souhaitable. C'est pour cela que j'ai été si seule dans ma jeunesse. A vrai dire, vers dix-huit, vingt ans, comme j'étais jolie et plutôt aisée financièrement, j'avais une ribambelle de soupirants autour de moi. Mais dès qu'ils s'apercevaient que je savais m'exprimer, dès que je leur ouvrais mon cœur avec les pensées qui s'y agitaient, le vide se faisait autour de moi. Évidemment j'aurais pu me taire et faire semblant d'être ce que je n'étais pas, mais malheureusement – ou heureusement – malgré l'éducation que j'avais reçue, une partie de moi-même était encore vivante, et cette partie se refusait à tricher.

Fini le lycée, comme tu le sais, je ne poursuivis pas mes études, mon père s'y opposa. Ce fut pour moi un renoncement très difficile. C'est justement pour cela que j'étais assoiffée de savoir. Dès qu'un jeune homme déclarait étudier la médecine, je le harcelais de questions, je voulais tout savoir. Je faisais de même avec les futurs ingénieurs, les futurs avocats. Cette attitude désorientait les gens, j'avais l'air de m'intéresser davantage au métier qu'à la personne et peut-être en était-il ainsi effectivement. Quand je parlais avec mes amies, avec mes camarades de classe, j'avais le sentiment d'appartenir à des mondes se trouvant à des années-lumière du leur. Entre nous, la grande ligne de partage était la malice féminine. J'en étais complètement dénuée, alors qu'elles l'avaient développée au maximum. Derrière leur arrogance, leur assurance apparente, les hommes sont extrêmement fragiles, naïfs ; ils ont en eux des leviers très primitifs, il suffit d'appuyer sur l'un d'eux pour les faire tomber dans la poêle comme des poissons frits. Je l'ai compris tardivement, mais mes amies le savaient déjà à quinze, seize ans.

Avec un talent naturel, elles acceptaient des billets doux ou les refusaient, en écrivaient sur des tons variés, donnaient des rendez-vous et n'y allaient pas, ou y allaient très en retard. Pendant les bals, elles frôlaient la partie du corps qu'il fallait et tout en la frôlant, elles regardaient l'homme dans les yeux avec l'expression intense des jeunes biches. Voilà les ruses féminines, voilà les flatteries qui vous attirent du succès auprès des hommes. Mais moi, tu comprends, j'étais une vraie patate, je ne comprenais rien de ce qui se passait autour de moi. Même si ça peut te paraître étrange, j'avais un sens profond de la loyauté et cette loyauté me disait que jamais, au grand jamais, je ne pourrais duper un homme. Je pensais qu'un jour je trouverais un jeune homme avec lequel je pourrais parler jusque tard dans la nuit sans jamais me lasser ; à force de parler, nous comprendrions que nous voyions les choses de la même façon, éprouvions les mêmes émotions. Alors l'amour naîtrait, un amour fondé sur l'amitié, l'estime, et non sur la facilité à piéger l'autre.

Je voulais une amitié amoureuse, et en cela j'étais très virile, virile au sens antique du terme. Ce rapport égalitaire, je crois, inspirait de la terreur à mes soupirants. Ainsi, peu à peu, j'ai été cantonnée au rôle qui incombe habituellement aux laides. J'étais entourée d'amis, mais c'étaient des amitiés à sens unique ; ils ne venaient me voir que pour me confier leurs chagrins d'amour. L'une après l'autre, mes camarades se mariaient. A un moment de ma vie, j'ai l'impression de n'avoir rien fait d'autre qu'assister à des mariages. Celles qui avaient mon âge avaient des enfants et, moi, j'étais toujours la marraine sans mari, je vivais chez mes parents, à présent presque résignée à rester éternellement vieille fille. « Mais qu'est-ce que tu peux bien avoir dans la tête, disait ma mère, est-il possible que personne ne te plaise ? » Pour eux, il était évident que les difficultés que je rencontrais avec l'autre sexe provenaient de mon caractère bizarre. Est-ce que j'en souffrais ? Je n'en sais rien.

En vérité, je ne ressentais pas au fond de moi l'ardent désir d'une famille. L'idée de mettre un enfant au monde éveillait en moi une certaine méfiance. J'avais trop souffert quand j'étais petite et je craignais de faire souffrir à mon tour une créature innocente. De plus, même si je vivais encore chez mes parents, j'étais complètement indépendante, maîtresse de toutes les heures de ma journée. Pour gagner un peu d'argent, je donnais des cours de grec et de latin, mes matières préférées. A part cela, je n'avais pas d'autres obligations, je pouvais passer des après-midi entiers à la bibliothèque municipale sans rendre de comptes à personne, aller à la montagne chaque fois que j'en avais envie.

Bref, par rapport à d'autres femmes, je menais une vie libre, et j'avais très peur de perdre cette liberté. Et pourtant, avec le temps, toute cette liberté, ce bonheur apparent me semblaient de plus en plus faux, forcés. La solitude, qui au début m'était apparue comme un privilège, commençait à me peser. Mes parents se faisaient vieux, mon père avait eu une attaque d'apoplexie et marchait difficilement. Tous les jours, bras dessus, bras dessous, je l'accompagnais quand il achetait son journal – je devais avoir vingt-sept ou vingt-huit ans. En voyant mon image se refléter en même temps que la sienne dans les vitrines, je me suis soudain sentie vieille moi aussi, et j'ai compris quelle direction ma vie était en train de prendre : il mourrait bientôt, ma mère le suivrait, je resterais seule dans une grande maison pleine de livres, pour passer le temps je me mettrais peut-être à broder ou à peindre des aquarelles, et les années s'envoleraient une à une. Et puis, un matin, un voisin, inquiet de ne pas me voir depuis plusieurs jours, alerterait les pompiers, ceux-ci enfonceraient la porte et trouveraient mon corps étendu sur le sol. J'étais morte, et ce qui restait de moi n'était guère différent de l'enveloppe desséchée qui reste par terre, quand les insectes meurent.

Je sentais mon corps de femme se faner sans avoir vécu, et cela me rendait triste. Et puis je me sentais seule, très seule. Depuis que j'étais née, je n'avais jamais eu personne à qui parler, je veux dire à qui parler vraiment. Certes, j'étais très intelligente, je lisais beaucoup, comme disait mon père, à la fin, avec un certain orgueil : « Olga ne se mariera jamais, elle est trop intellectuelle. » Mais cette intelligence supposée ne menait nulle part, j'étais incapable, par exemple, de partir pour un grand voyage, d'étudier quelque chose à fond. Comme je n'avais pas suivi de cours à l'université, je me sentais les ailes rognées. En réalité, la cause de mon incapacité, de mon inaptitude à faire fructifier mes dons, ne venait pas de là. Au fond, Schliemann avait découvert Troie en autodidacte, non ? Autre chose me freinait, le petit mort qui était en moi, tu te souviens ? C'était lui qui me freinait,

135

qui m'empêchait d'avancer. J'étais immobile et j'attendais. Quoi ? Je n'en avais pas la moindre idée.

Le jour où Augusto vint à la maison pour la première fois, il avait neigé. Je m'en souviens parce que, ici, la neige tombe rarement, et parce que, justement à cause de la neige, notre hôte était arrivé en retard pour déjeuner ce jour-là. Augusto, comme mon père, travaillait dans l'importation du café. Il était venu à Trieste pour négocier la vente de notre entreprise. Après son attaque d'apoplexie, mon père, n'ayant pas d'héritier mâle, avait décidé de se défaire de la société pour passer ses dernières années dans la tranquillité. Au premier abord, Augusto m'avait paru très antipathique. Il venait d'Italie, comme nous disions chez nous, et comme tous les Italiens il avait quelque chose d'affecté que je trouvais irritant. C'est drôle, mais il arrive souvent qu'à la première rencontre, les personnes importantes de notre vie ne nous plaisent pas. Après le déjeuner, mon père s'était retiré pour se reposer, et j'avais dû rester au salon pour tenir compagnie à notre invité en attendant l'heure de son train. J'étais très contrariée. Nous sommes restés ensemble environ une heure, et j'ai été très désagréable. A chaque question qu'il me posait, je répondais par monosyllabes ; s'il se taisait, je me taisais aussi.

Quand il m'a dit, sur le pas de la porte : « Alors, au revoir, mademoiselle », je lui ai offert ma main avec le détachement d'une aristocrate qui aurait eu affaire à un subalterne.

« Pour un Italien, M. Augusto est sympathique, avait dit ma mère ce soir-là, au cours du dîner. – C'est quelqu'un d'honnête, avait répondu mon père. Et de plus, il est calé en affaires. » A ce moment-là, devine ce qui s'est passé ? Ma langue est partie toute seule : « Et il n'a pas la bague au doigt ! » me suis-je exclamée avec une vivacité imprévue. Quand mon père a répondu : « En effet, le pauvre, il est veuf », j'étais déjà rouge comme une pivoine et très gênée.

Deux jours après, en rentrant d'une leçon, je trouvai dans l'entrée un colis recouvert de papier argenté. C'était le premier colis que je recevais de ma vie. Je n'arrivais pas à comprendre qui me l'avait envoyé. Un billet était glissé sous le papier. *Connaissez-vous ces gâteaux ?* Au-dessous, il y avait la signature d'Augusto.

Le soir, avec ces gâteaux sur ma table de nuit, je n'arrivais pas à trouver le sommeil. Il a dû les envoyer par courtoisie envers mon père, me disais-je tout en mangeant les massepains. Trois semaines plus tard, il revint à Trieste « pour affaires », dit-il pendant le déjeuner, mais au lieu de repartir aussitôt comme l'autre fois, il s'arrêta un moment en ville. Avant de prendre congé, il demanda à mon père l'autorisation de m'emmener faire une promenade en voiture et mon père, sans même me demander mon avis, la lui donna. Nous nous promenâmes tout l'après-midi dans les rues de la ville. Il parlait peu, me demandait des renseignements sur les monuments puis restait silencieux, à m'écouter. Il m'écoutait, ce qui pour moi était un vrai miracle.

Le matin où il partit, il me fit envoyer un bouquet de roses rouges. Ma mère était tout excitée, moi, je feignais de ne pas l'être mais, avant de sortir son billet et de le lire, j'attendis plusieurs heures. En peu de temps, ses visites devinrent hebdomadaires. Tous les samedis, il venait à Trieste et, tous les dimanches, il repartait pour sa ville. Tu te souviens de ce que faisait le Petit Prince pour apprivoiser le renard ? Il allait tous les jours devant sa tanière et attendait qu'il sorte. Ainsi, tout doucement, le renard apprit à le connaître et à ne plus avoir peur. Et ce n'est pas tout ; il apprit aussi à s'émouvoir à la vue de tout ce qui lui rappelait son petit ami. Séduite par le même genre de tactique, moi aussi je commençais à m'impatienter dès le jeudi. Le processus d'apprivoisement avait commencé. Au bout d'un mois, toute ma vie tournait autour de l'attente du week-end. En peu de temps, une grande confiance s'était instaurée entre nous. Avec lui, je pouvais enfin parler, il appréciait mon intelligence et ma soif d'apprendre ; moi, j'appréciais sa tranquillité, sa faculté d'écoute, ce sentiment de sécurité et de protection que peut donner à une jeune femme un homme plus âgé qu'elle.

Nous nous mariâmes le 1er juin 1940, la cérémonie fut très simple. Dix jours après, l'Italie entrait en guerre. Pour des raisons de sécurité, ma mère se réfugia dans un petit village de montagne, en Vénétie, pendant que mon mari et moi nous nous installions à L'Aquila.

Toi qui n'as lu l'histoire de ces années-là que dans les livres, toi qui l'as étudiée au lieu de la vivre, tu trouveras étrange que je n'aie jamais fait allusion aux événements tragiques de cette période. Il y avait le fascisme, les lois raciales, la guerre avait éclaté, et je continuais à m'occuper de mes petits malheurs personnels, des infimes déplacements de mon âme. Mais sache que mon attitude n'avait rien d'exceptionnel, au contraire. A part une petite minorité politisée, tout le monde, dans notre ville, s'est comporté de la même façon. Mon père, par exemple, considérait le fascisme comme une pantalonnade. Quand il était à la maison, il appelait le Duce « ce marchand de pastèques ». Après, il allait quand même dîner avec les dignitaires fascistes et conversait avec eux jusqu'à une heure tardive. De même, je trouvais ridicule et ennuyeux de me rendre au samedi italien*, de défiler au pas et de chanter vêtue de noir, comme une veuve. Mais j'y allais quand même, je me disais que ce n'était qu'une corvée à laquelle il fallait se soumettre pour vivre tranquilles. Un tel comportement n'est certes pas audacieux mais il est très courant. Vivre tranquille est l'une des aspirations majeures de l'homme ; c'était le cas à cette époque-là, et aujourd'hui aussi probablement.

A L'Aquila, nous nous installâmes dans la maison familiale d'Augusto, un grand appartement au premier étage d'un palais aristocratique, dans le centre. Il était rempli de meubles sombres, massifs, peu éclairé, d'aspect sinistre. A peine entrée, j'eus le cœur serré. C'est ici qu'il me faudra vivre, me dis-je, avec un homme que je ne connais que depuis six mois, dans une ville où je n'ai pas un seul ami ? Mon mari comprit immédiatement le désarroi dans lequel je me trouvais, et les deux premières semaines, il fit son possible pour me distraire. Un jour sur deux, il prenait sa voiture et nous allions faire des promenades en montagne, dans les environs. Nous avions tous deux une véritable passion pour les

---

* Samedi italien : le samedi fasciste était consacré à des rassemblements, des défilés, des activités sportives, auxquels la population, enfants compris, était conviée. *(N. d. T.)*

excursions. En voyant ces montagnes si belles, ces villages perchés semblables à des crèches, je me sentais un peu plus sereine, j'avais l'impression, en quelque sorte, de ne pas avoir quitté le Nord et ma maison. Nous parlions encore beaucoup ensemble. Augusto aimait la nature et particulièrement les insectes, et tout en marchant il m'expliquait une foule de choses. C'est à lui que je dois une grande partie de mon savoir en sciences naturelles.

A la fin de ces deux semaines qui avaient constitué notre lune de miel, il reprit son travail et je commençai ma vie, seule dans la grande maison. Avec moi, il y avait une vieille domestique qui s'occupait de la plupart des travaux ménagers. Comme toutes les épouses bourgeoises de cette époque, je n'avais qu'à organiser le déjeuner et le dîner ; pour le reste, je n'avais rien à faire. Je pris l'habitude de sortir seule tous les jours et de faire de longues promenades. Je sillonnais les rues d'un pas furieux, j'avais beaucoup de pensées dans la tête et je n'arrivais pas à voir clair dans toutes ces pensées. Est-ce que je l'aime, me demandais-je en m'arrêtant à l'improviste, ou tout cela n'a-t-il été qu'une grande méprise ? Quand nous étions assis à table, ou le soir au salon, je le regardais et tout en le regardant, je me demandais : qu'est-ce que j'éprouve ? J'éprouvais de la tendresse, bien sûr, et lui aussi en éprouvait sûrement pour moi. Mais c'était cela l'amour ? Ce n'était que cela ? N'ayant jamais rien ressenti d'autre, je n'arrivais pas à trouver de réponse.

Au bout d'un mois, les premiers ragots arrivèrent aux oreilles de mon mari. Des voix anonymes avaient colporté que « l'Allemande se promène toute seule dans les rues à n'importe quelle heure ». J'étais stupéfaite. Élevée avec des habitudes différentes, je n'aurais jamais pu imaginer que des promenades innocentes pouvaient provoquer un scandale. Augusto était contrarié, il comprenait que, pour moi, une telle réaction était incompréhensible, mais au nom de la paix citadine et de sa bonne réputation, il me pria de cesser mes sorties en solitaire. Après six mois de cette vie, je me sentais complètement éteinte. Le petit mort que je portais en moi était devenu un mort énorme, j'agissais comme un automate, j'avais le regard vide. Quand je parlais, je sentais une distance entre mes mots et moi-même, comme s'ils sortaient d'une autre bouche. Entre-temps j'avais rencontré les femmes des collègues d'Augusto, je les voyais le jeudi dans un café du centre.

Nous avions beau avoir à peu près le même âge, nous ne trouvions pas grand-chose à nous dire. Nous parlions la même langue, c'était notre seul point commun.

Ayant retrouvé son milieu, Augusto commença rapidement à se conduire comme ses pairs. Pendant le déjeuner, nous restions maintenant silencieux ; quand je m'efforçais de lui raconter quelque chose, il répondait oui ou non, par monosyllabes. Le soir, il se rendait souvent au cercle ; quand il restait à la maison, il s'enfermait dans son bureau pour classer ses collections de coléoptères. Son grand rêve était de découvrir un insecte encore inconnu, pour que son nom passât à la postérité dans les livres de sciences. Moi, j'aurais voulu perpétuer notre nom d'une autre façon, avec un enfant : j'avais trente ans et je sentais le temps glisser derrière moi, de plus en plus vite. De ce côté-là, les choses allaient très mal. Après une première nuit plutôt décevante, il ne s'était pas passé grand-chose. J'avais la sensation qu'avant tout, Augusto voulait trouver quelqu'un à la maison aux heures des repas, quelqu'un à exhiber orgueilleusement le dimanche, à l'église ; apparemment, peu lui importait la personne qui se trouvait derrière cette image rassurante. Qu'était devenu l'homme charmant et disponible qui m'avait courtisée ? Était-il possible que l'amour finisse de cette façon ? Augusto m'avait raconté qu'au printemps les oiseaux chantent plus fort pour séduire les femelles, pour les pousser à faire leur nid avec eux. Il avait agi de même avec moi, il m'avait assuré un nid, puis il avait cessé de s'intéresser à mon existence. J'étais là, je lui tenais chaud et voilà tout.

Est-ce que je le détestais ? Non, ça te semblera étrange mais je n'arrivais pas à le détester. Pour détester quelqu'un il faut qu'il vous blesse, qu'il vous fasse du mal. Augusto ne me faisait rien, c'était là l'ennui. Il est plus facile de mourir de rien que de douleur : on peut se révolter devant la douleur, pas devant le néant.

Quand je téléphonais à mes parents, je disais évidemment que tout allait bien, je m'efforçais de prendre la voix d'une jeune mariée heureuse. Ils étaient sûrs de m'avoir laissée en de bonnes mains et je ne voulais pas ébranler leur certitude. Ma mère était toujours cachée à la montagne, mon père était resté seul dans la villa familiale, avec une cousine éloignée qui s'occupait de lui. « Quoi de neuf ? » me demandait-il une fois par mois, et je lui répondais régulièrement non, pas encore. Il rêvait d'avoir un petit-fils, avec la sénilité il lui était venu une tendresse nouvelle. Depuis ce changement, je le sentais plus proche de moi et je regrettais de décevoir ses attentes. Mais en même temps, je n'avais pas assez d'intimité avec lui pour lui confier les motifs de cette stérilité prolongée. Ma mère m'envoyait de longues lettres dégoulinantes de rhétorique. Ma fille adorée, écrivait-elle en haut de la feuille, et au-dessous elle énumérait minutieusement toutes les petites choses qui lui étaient arrivées ce jour-là. A la fin, elle m'annonçait régulièrement qu'elle avait fini de tricoter le énième ensemble pour le petit-fils qui allait arriver. Pendant ce temps, je me ratatinais sur moi-même ; tous les matins, en me regardant dans la glace, je me trouvais de plus en plus laide. De temps en temps, le soir, je disais à Augusto : « Pourquoi ne parlons-nous pas ? – De quoi ? répondait-il sans lever les yeux au-dessus de la loupe avec laquelle il examinait un insecte. – Je ne sais pas, disais-je, on pourrait se raconter quelque chose. » Il secouait alors la tête : « Olga, disait-il, tu as vraiment l'imagination malade. »

Il est bien connu que les chiens qui ont long-temps vécu avec leur maître finissent tout douce-ment par lui ressembler. J'avais l'impression que la même chose arrivait à mon mari, plus le temps passait, plus il ressemblait à un coléoptère. Ses mouvements n'avaient plus rien d'humain, ils n'étaient pas fluides mais géométriques, ses gestes étaient saccadés. Sa voix était dépourvue de timbre, elle montait d'un lieu imprécis de sa gorge, avec un bruit métallique.

Il s'intéressait aux insectes et à leurs activités d'une manière obsédante, mais en dehors de cela, rien ne pouvait l'émouvoir, même un tout petit peu. Une fois, le tenant suspendu entre des pinces, il m'avait montré un insecte affreux – je

145

crois qu'il s'appelait un grillon-taupe. « Regarde ces mandibules, m'avait-il dit, avec ça, il peut vraiment manger de tout. » La nuit même, j'avais rêvé de lui sous cette apparence, il était énorme et dévorait ma robe de mariée comme si elle eût été en carton.

Au bout d'un an, nous avons commencé à faire chambre à part ; il veillait très tard en compagnie de ses coléoptères et ne voulait pas me déranger, du moins est-ce ce qu'il disait. Tel que je te le dépeins, mon mariage doit te sembler quelque chose d'extraordinairement terrible, mais il n'avait vraiment rien d'extraordinaire. A cette époque-là, les mariages étaient presque tous comme ça, de petits enfers domestiques dans lesquels l'un des deux devait succomber tôt ou tard.

Tu veux savoir pourquoi je ne me révoltais pas, pourquoi je ne faisais pas ma valise pour rentrer à Trieste ?

Parce qu'à ce moment-là il n'existait ni séparation ni divorce. Pour rompre un mariage, il devait y avoir des mauvais traitements très graves, ou alors il fallait posséder un tempérament rebelle, s'enfuir, partir à l'aventure à travers le monde, pour toujours. Mais comme tu le sais, la rébellion n'est pas dans mon caractère, et Augusto n'a jamais levé le petit doigt sur moi, ni même la voix. Il ne m'a jamais laissée manquer de rien. Le dimanche, en rentrant de la messe, nous nous arrêtions à la pâtisserie des frères Nurzia et il me laissait acheter tout ce dont j'avais envie. Tu imagineras sans mal avec quels sentiments je me réveillais tous les matins. Au bout de trois ans de mariage, je n'avais qu'une idée en tête : celle de la mort.

Augusto ne me parlait jamais de sa première femme ; les rares fois où, avec discrétion, je l'avais interrogé, il avait changé de sujet. En me promenant, les après-midi d'hiver, dans ces pièces sinistres, j'acquis la conviction qu'Ada – c'était le prénom de sa première femme – n'était pas morte de maladie ou dans un accident, mais qu'elle s'était suicidée. Quand la domestique était dehors, je passais mon temps à déclouer des planches, à démonter les tiroirs, je cherchais rageusement une trace, un indice qui eût confirmé mes soupçons. Un jour de pluie, dans le double fond d'une armoire, je trouvai des vêtements de femme ; c'étaient les siens. Je sortis une robe sombre et la mis, nous avions la même taille. Je me regardai dans la glace et commençai à pleurer. Je pleurais tout bas, sans un sanglot, comme quelqu'un qui sait que son destin est déjà tracé. Dans un coin de la maison il y avait un prie-Dieu en bois massif qui avait appartenu à la mère d'Augusto, une femme très pieuse. Quand je ne savais pas quoi faire, je m'enfermais dans cette chambre et je restais là des heures entières, les mains jointes. Je priais ? Je n'en sais rien. Je parlais ou j'essayais de parler avec Quelqu'un que je supposais se trouver au-dessus de ma tête. Je disais Seigneur fais que je trouve ma voie, si c'est celle-ci aide-moi à la supporter. La fréquentation régulière de l'église – à laquelle ma situation de femme mariée m'avait contrainte – m'avait poussée à me poser beaucoup d'autres questions, des questions que j'avais ensevelies au fond de moi depuis mon enfance. L'odeur de l'encens m'étourdissait, tout comme la musique de l'orgue. Quand j'écoutais les Écritures saintes, quelque chose à l'intérieur de moi vibrait faiblement. Mais quand je croisais le curé dans la rue, sans ses parements sacrés, quand je regardais son nez spongieux et ses yeux vaguement porcins, quand j'écoutais ses questions banales et irrémédiablement hypocrites, plus rien ne vibrait et je me disais, voilà, tout cela n'est qu'une duperie, une manière de faire supporter aux esprits faibles l'oppression dans laquelle ils vivent. Malgré tout, dans le silence de la maison, j'aimais lire l'Évangile. Bien des paroles de Jésus me semblaient extraordinaires, m'exaltaient au point que je les répétais plusieurs fois à voix haute.

Ma famille n'était pas religieuse, mon père se considérait comme un libre penseur et ma mère, convertie depuis deux générations comme je te l'ai déjà dit, n'allait à la messe que par conformisme social. Il m'était arrivé de l'interroger sur des problèmes liés à la foi, et elle m'avait répondu : « Je ne sais pas, notre famille est sans religion. » Sans religion. Ces mots ont pesé comme un énorme rocher sur la phase la plus délicate de mon enfance, quand je me posais des questions essentielles. Il y avait dans ces mots comme une marque d'infamie, nous avions abandonné une religion pour en embrasser une autre, pour laquelle nous n'éprouvions pas le moindre respect. Nous étions des traîtres et, en tant que tels, il n'y avait aucune place pour nous ni au ciel ni sur terre, nulle part.

Ainsi, à part les quelques anecdotes apprises chez les sœurs, je n'ai reçu aucune éducation religieuse jusqu'à l'âge de trente ans. Le royaume de Dieu est en vous, me répétais-je tout en marchant à travers la maison vide. Je me le répétais et j'essayais d'imaginer où il se trouvait. Je voyais mon œil descendre à l'intérieur de moi comme un périscope, scruter les recoins de mon corps, les replis encore plus mystérieux de mon cerveau. Où était le royaume de Dieu ? Je n'arrivais pas à le voir, autour de mon cœur il y avait du brouillard, un brouillard épais et non les collines verdoyantes et lumineuses que j'imaginais être le paradis. Dans les moments de lucidité, je me disais que j'étais en train de devenir folle, comme toutes les vieilles filles et les veuves ; lentement, imperceptiblement, je tombai dans un délire mystique. Au bout de quatre ans de cette vie, j'avais de plus en plus de mal à distinguer l'illusion de la réalité. Les cloches de la cathédrale voisine rythmaient le temps tous les quarts d'heure ; pour ne pas les entendre, ou pour en atténuer le bruit, je me mettais du coton dans les oreilles.

J'étais habitée par une obsession : je me répétais que les insectes d'Augusto n'étaient pas morts, la nuit j'entendais le crépitement de leurs pattes, ils se promenaient à travers la maison, grimpaient sur le papier peint des murs, crissaient sur les carrelages de la cuisine, se traînaient sur les tapis du salon. J'étais immobile dans mon lit et je retenais mon souffle, attendant qu'ils pénètrent dans ma chambre en se glissant sous la porte. J'essayais de cacher mon état à Augusto. Le matin, le sourire aux lèvres, je lui annonçais le menu du déjeuner, je continuais à sourire jusqu'à ce qu'il ait franchi le pas de la porte. Avec le même sourire stéréotypé, je l'accueillais à son retour.

Comme mon mariage, la guerre en était à sa cinquième année, durant le mois de février Trieste aussi fut bombardée. Pendant la dernière attaque, la maison de mon enfance fut totalement détruite. La seule victime fut le cheval de calèche de mon père, on l'a retrouvé dans le jardin avec deux jambes arrachées.

A cette époque-là, il n'y avait pas de télévision, les nouvelles circulaient plus lentement. Quand nous avons perdu la maison, je l'ai appris le lendemain, par un coup de fil de mon père. Tout de suite, à la façon dont il a dit « allô », j'ai compris qu'il s'était passé quelque chose de grave, il avait la voix de quelqu'un qui depuis longtemps a cessé de vivre. Sans aucun lieu à moi où j'aurais pu revenir, je me sentis vraiment perdue. Pendant deux ou trois jours, j'errai à travers la maison, dans un état second. Rien ne pouvait secouer ma torpeur ; dans une unique séquence, monotone et monochrome, je voyais se dérouler mes années une à une, jusqu'à ma mort.

Tu sais quelle est l'erreur que l'on commet toujours ? Croire que la vie est immuable, qu'une fois que l'on a pris certains rails, on doit les suivre jusqu'au bout. Mais le destin a beaucoup plus d'imagination que nous. Juste quand tu crois te trouver dans une impasse, quand tu arrives au sommet du désespoir, avec la rapidité d'une rafale de vent tout change, bascule et, du jour au lendemain, tu te retrouves en train de vivre une nouvelle vie.

Deux mois après le bombardement de la maison, la guerre était finie. Je me rendis immédiatement à Trieste, mon père et ma mère s'étaient déjà installés dans un appartement provisoire avec d'autres personnes. Il fallait s'occuper de tellement de détails pratiques qu'au bout d'une semaine j'avais presque oublié les années passées à L'Aquila. Un mois plus tard, Augusto nous rejoignait. Il devait reprendre en main l'entreprise achetée à mon père : durant toutes les années de guerre il l'avait laissée à un gérant et n'y avait presque pas travaillé. Et puis il y avait mon père et ma mère, qui ne possédaient plus de maison et qui était vieux désormais. Avec une rapidité qui me surprit, Augusto décida de quitter sa ville pour s'installer à Trieste, il acheta cette villa sur le haut plateau et avant l'automne nous vînmes tous vivre ici.

Contrairement à toutes les prévisions, ma mère fut la première à s'en aller, elle mourut peu après le début de l'été. Son tempérament obstiné avait été miné par cette période de solitude et de peur. Avec sa disparition, le désir d'avoir un enfant me reprit, impérieux. Je dormais de nouveau avec Augusto et, malgré cela, la nuit, il ne se passait rien ou presque entre nous. Je passais beaucoup de temps assise dans le jardin en compagnie de mon père. Ce fut justement lui qui me dit, au cours d'un après-midi ensoleillé : « Pour le foie et les femmes, les eaux peuvent faire des miracles. »

Deux semaines plus tard, Augusto m'accompagna à la gare, je pris le train pour Venise. Là, en fin de matinée, je prendrais un autre train pour Bologne et après avoir changé encore une fois, j'arriverais le soir à Porretta Terme. A vrai dire, je ne croyais guère aux effets d'une cure thermale ; si j'avais décidé de partir, c'était surtout à cause d'un grand désir de solitude, j'éprouvais le besoin de rester seule avec moi-même, d'une manière différente par rapport aux années passées. J'avais souffert. A l'intérieur de moi, presque tout était mort, j'étais comme un pré après un incendie, tout était noir, carbonisé. Avec la pluie, le soleil, l'air, le peu qui était resté dessous pourrait retrouver, tout doucement, assez d'énergie pour repousser.

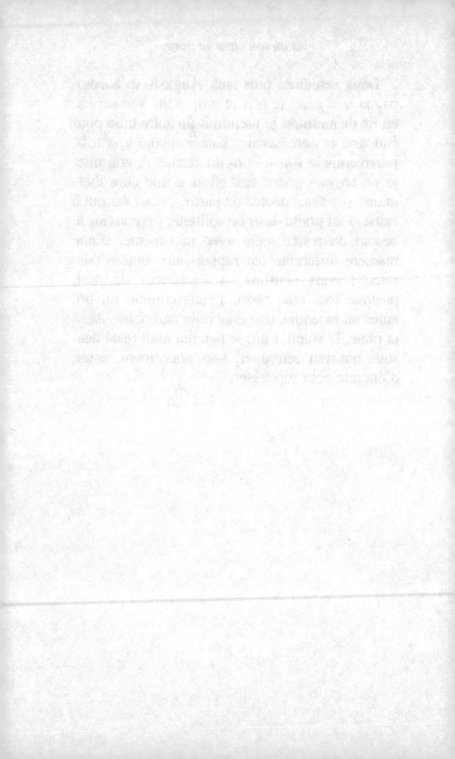

10 décembre

Depuis que tu es partie je ne lis plus le journal, tu n'es plus là pour l'acheter et personne ne me l'apporte. Au début, cela me manquait un peu mais petit à petit cette gêne s'est transformée en soulagement. Je me suis alors souvenue du père d'Isaac Singer. De toutes les habitudes de l'homme moderne, disait-il, la lecture des quotidiens est l'une des pires. Le matin, au moment où l'âme est grande ouverte, elle déverse sur l'individu tout le mal que le monde a produit le jour précédent. A son époque, il suffisait de ne pas lire les journaux pour se protéger ; aujourd'hui ce n'est plus possible : il y a la radio, la télévision, il suffit de les allumer une seconde pour que le mal nous rattrape, pour qu'il entre en nous.

C'est ce qui s'est passé ce matin. Pendant que je m'habillais, j'ai entendu la radio locale dire qu'on a autorisé les convois de réfugiés à passer la frontière. Ils étaient bloqués depuis quatre jours, on ne les laissait pas avancer et ils ne pouvaient plus faire marche arrière. A bord il y avait des vieux, des malades, des femmes seules avec leurs enfants. Le premier contingent, a dit le speaker, est déjà arrivé au camp de la Croix-Rouge et a reçu les premiers aliments vitaminés. La présence d'une guerre aussi proche et aussi grave me fait beaucoup souffrir. Depuis qu'elle a éclaté c'est comme si je vivais avec une épine plantée dans le cœur. C'est une image banale mais, dans sa banalité, elle rend bien ce que je ressens. Au bout d'un an, l'indignation s'est ajoutée à la douleur, il me paraissait impossible que personne n'intervînt pour mettre fin à ce massacre. Par la suite, j'ai dû me résigner : là-bas, il n'y a pas de puits de pétrole mais seulement des montagnes rocailleuses. Avec le temps, l'indignation a fait place à la rage et cette rage continue à battre au fond de moi obstinément, elle me ronge.

A mon âge, il est ridicule d'être aussi frappée par une guerre. Dans le monde, il s'en déroule chaque jour des dizaines et des dizaines, en quatre-vingts ans j'aurais dû me fabriquer une sorte de cal, m'habituer. Depuis que je suis née, l'herbe haute et jaune du Carso a été foulée par bien des réfugiés, des armées victorieuses ou en déroute : d'abord les trains militaires des fantassins de la Grande Guerre, les bombes qui explo-

156

saient sur le haut plateau ; puis le défilé des soldats qui revenaient de la campagne de Russie ou de Grèce, les massacres fascistes et nazis, les tueries des dolines* ; et maintenant, voici de nouveau le bruit des canons le long de la frontière, l'exode des innocents qui fuient le grand massacre des Balkans.

Il y a quelques années, alors que je me rendais en train de Trieste à Venise, j'ai voyagé dans le même compartiment qu'un médium. C'était une femme un peu plus jeune que moi, coiffée d'un petit chapeau en forme de fougasse. Évidemment, j'ignorais qu'elle était médium, c'est elle qui me l'a révélé en bavardant avec sa voisine.

« Vous savez, lui disait-elle pendant que nous traversions le haut plateau du Carso, si je marche là-dessus, j'entends toutes les voix des morts, je ne peux pas faire un pas sans en être assourdie. Ils hurlent tous d'une manière terrible, plus ils sont morts jeunes, plus ils hurlent fort. »

Puis elle lui expliqua que, là où s'étaient produits des actes de violence, quelque chose dans l'atmosphère était définitivement altéré ; l'air est corrodé, moins compact, et cette corrosion, au

---

* Dolines de la région du Carso (près de Trieste) dans lesquelles furent jetés les corps de victimes des représailles yougoslaves, en 1944-1945.

lieu de libérer un sentiment de douceur, favorise le déchaînement de nouveaux excès. Bref, là où le sang a été versé, on en versera encore, et ainsi de suite. « La terre, avait dit le médium pour clore son discours, est comme un vampire, dès qu'elle goûte au sang, elle en veut du neuf, du frais, et toujours plus. »

Pendant plusieurs années, je me suis demandé si ce lieu où nous avons vécu n'est pas habité par une sorte de malédiction, je me le suis demandé et je continue à me le demander sans parvenir à trouver une réponse. Tu te souviens de toutes les fois où nous sommes allées ensemble sur la roche de Monrupino ? Les jours où soufflait la *bora*, nous passions des heures entières à regarder le paysage. Le panorama s'étendait sur 360 degrés, c'était à qui reconnaîtrait la première un sommet des Dolomites, à qui distinguerait Grado de Venise. A présent qu'il ne m'est plus possible matériellement d'y aller, je dois fermer les yeux pour voir le même paysage.

Grâce à la magie de la mémoire, tout apparaît vraiment devant moi et autour de moi, comme si j'étais sur le belvédère de Monrupino. Il ne manque rien, pas même le bruit du vent, les odeurs de la saison que j'ai choisie. Je reste là, je regarde les pitons de calcaire érodés par le temps, le grand espace nu où s'entraînent les chars d'assaut, le promontoire sombre de l'Istrie qui plonge dans le bleu de la mer, je regarde tout ce qui m'entoure et je me demande pour la énième fois : s'il y a une fausse note, où est-elle ?

J'aime ce paysage, et peut-être que cet amour m'empêche de résoudre le problème ; la seule chose dont je sois certaine, c'est de l'influence du monde extérieur sur le caractère des habitants de ce lieu. Si je suis souvent âpre et brusque, si tu l'es toi aussi, nous le devons au Carso, à son érosion, à ses couleurs, au vent qui le cingle. Si nous étions nées ailleurs, par exemple dans les collines de l'Ombrie, peut-être serions-nous plus douces, l'impatience ne ferait pas partie de notre tempérament. Cela aurait-il mieux valu ? Je n'en sais rien, on ne peut pas imaginer une condition que l'on n'a pas vécue.

Aujourd'hui s'est produit un mauvais coup du sort : ce matin, quand je suis allée dans la cuisine, j'ai trouvé la merlette inanimée au milieu des chiffons. Depuis deux jours déjà, elle donnait des signes de malaise, elle mangeait moins et entre deux becquées elle s'assoupissait souvent. Le décès a dû se produire un peu avant l'aube, parce que, quand je l'ai prise dans ma main, sa tête se balançait de tous côtés, comme si à l'intérieur un ressort s'était cassé. Elle était légère, fragile, froide. Je l'ai caressée un moment avant de l'envelopper dans un bout de chiffon, je voulais lui donner un peu de chaleur. Dehors, il tombait un

159

grésil épais, j'ai enfermé Buck dans une pièce et je suis sortie. Je n'ai plus la force de prendre la pelle et de creuser, j'ai donc choisi la plate-bande où la terre est la plus molle. Du bout du pied, j'ai creusé une petite fosse, j'y ai placé la merlette, je l'ai recouverte et avant de rentrer à la maison j'ai dit la prière que nous répétions toujours quand nous enterrions nos petits oiseaux. « Seigneur, accueille cette vie minuscule comme tu as accueilli toutes les autres. »

Tu te souviens de tous ceux que nous avons secourus et essayé de sauver, quand tu étais petite ? Après chaque journée de vent, nous trouvions un oiseau blessé – pinsons, mésanges, moineaux, merles et même, une fois, un bec-croisé. Nous faisions tout pour les soigner, mais le résultat était rarement positif, du jour au lendemain, sans aucun signe prémonitoire, nous les trouvions morts. Quelle tragédie alors ce jour-là ! Même si c'était la énième fois, tu étais bouleversée. Après l'enterrement, tu t'essuyais le nez et les yeux de ta paume ouverte, puis tu t'enfermais dans ta chambre « pour faire de la place ».

Un jour, tu m'avais demandé comment nous ferions pour retrouver ta maman : le ciel est si vaste qu'il est facile de se perdre. Je t'avais répondu que le ciel est une sorte de grand hôtel, là-haut chacun avait sa chambre et, dans cette chambre, toutes les personnes qui s'étaient

160

aimées se retrouvaient après leur mort et restaient ensemble pour toujours. Pour quelque temps, cette explication t'avait rassurée. Après la mort de ton quatrième ou cinquième poisson rouge, tu étais revenue sur ce problème et tu m'avais demandé : « Et s'il n'y a plus de place ? – S'il n'y a plus de place, t'avais-je répondu, il faut fermer les yeux et dire pendant une minute entière : chambre, agrandis-toi. Alors, immédiatement, la chambre s'agrandira. »

Gardes-tu en mémoire ces images de ton enfance, ou ta cuirasse les a-t-elle envoyées en exil ? Moi je ne m'en suis souvenue qu'aujourd'hui, pendant que j'enterrais la merlette. Chambre, agrandis-toi, quelle belle formule magique ! Avec ta maman, les hamsters, les moineaux, les poissons rouges, ta chambre est sûrement aussi encombrée que les gradins d'un stade. Bientôt j'y serai moi aussi, m'accepteras-tu dans ta chambre, ou faudra-t-il que j'en loue une à côté ? Est-ce que je pourrai inviter la première personne que j'ai aimée, te présenter enfin ton vrai grand-père ?

Je pensais à quoi, j'imaginais quoi en ce soir de septembre, quand je suis descendue du train, à la gare de Porretta ? A rien, absolument rien. L'odeur des châtaigniers flottait dans l'air, mon premier souci était de trouver la pension dans laquelle j'avais retenu une chambre. J'étais encore très naïve, j'ignorais l'incessante activité du destin, j'étais convaincue d'une seule chose : ce qui nous arrive dépend uniquement de l'usage que nous faisons de notre volonté. A l'instant où j'avais posé le pied et la valise sous la marquise de la gare, ma volonté avait complètement disparu, je ne voulais rien ou plutôt je ne voulais qu'une seule chose : avoir la paix.

Ton grand-père, je l'ai rencontré dès le premier soir, il était dans la salle à manger de la pension, avec une autre personne. A part un vieux monsieur, il n'y avait pas d'autres convives. Il discutait politique avec ferveur, le ton de sa voix m'a tout de suite agacée. Pendant le dîner je l'ai fixé une ou deux fois, d'un air plutôt contrarié. Quelle surprise le lendemain, quand j'ai découvert que c'était justement lui le médecin de la station thermale ! Pendant une dizaine de minutes, il m'a posé des questions sur mon état de santé ; au moment de me déshabiller il m'est arrivé une chose très embarrassante : j'ai commencé à transpirer comme si j'accomplissais un grand effort. Il a ausculté mon cœur et s'est écrié : « Oh, là, là ! quelle frayeur ! » Et il a éclaté de rire d'une manière plutôt irritante. Dès qu'il a commencé à presser le tensiomètre, la colonne de mercure est tout de suite montée au niveau maximal. « Vous souffrez d'hypertension ? » m'a-t-il

162

alors demandé. J'étais furieuse contre moi-même, j'essayais de me raisonner en me disant que ce médecin ne faisait rien d'autre que son travail, ce n'était ni normal ni sérieux de s'agiter à ce point. Mais j'avais beau me le répéter, je n'arrivais pas à me calmer. Devant la porte, tout en me donnant l'ordonnance, il m'a serré la main. « Reposez-vous, soufflez un peu, m'a-t-il dit, sinon, même la cure thermale n'aura aucun effet. »

Le même soir, après le dîner, il est venu s'asseoir à ma table. Le lendemain, nous nous promenions déjà ensemble dans les rues du village. Cette vivacité impétueuse qui m'avait tant irritée au début commençait à m'intriguer. Dans tout ce qu'il disait il y avait de la passion, de l'enthousiasme, il était impossible d'être à côté de lui sans se sentir gagné par la chaleur que dégageait chacune de ses phrases, par la chaleur de son corps.

Il y a quelque temps, j'ai lu dans un journal que, d'après des théories récentes, l'amour n'a pas son origine dans le cœur mais dans le nez. Quand deux personnes se rencontrent et se plaisent, elles commencent par s'envoyer de petites hormones dont j'ai oublié le nom, ces hormones entrent par le nez et montent jusqu'au cerveau et là, dans quelque méandre secret, elles déchaînent la tempête de l'amour. Bref, concluait l'article, les sentiments ne sont rien d'autre que d'invisibles puanteurs. Quelle absurde sottise ! Ceux qui, dans leur vie, ont connu l'amour véritable, le grand amour qui se passe de mots, ceux-là savent que ces affirmations ne sont que la énième manœuvre déloyale pour envoyer le cœur en exil. Bien sûr, l'odeur de l'être aimé est troublante. Mais pour provoquer ce trouble, il faut qu'il y ait eu quelque chose de préalable, quelque chose qui, j'en suis sûre, n'a rien à voir avec une simple puanteur.

Ces jours-là, auprès d'Ernesto, j'ai eu pour la première fois de ma vie la sensation que mon corps n'avait pas de limites. Autour de lui, je sentais une sorte de halo impalpable, comme si ses contours étaient plus amples, et cette ampleur vibrait dans l'air à chaque mouvement que je faisais. Tu sais comment se comportent les plantes si pendant quelques jours tu ne les arroses pas ? Les feuilles se flétrissent, au lieu de se dresser vers la lumière elles retombent comme les oreilles d'un lapin déprimé. Voilà, ma vie des années précédentes avait vraiment ressemblé à celle d'une plante privée d'eau, la rosée de la nuit m'avait donné l'aliment minimal pour survivre mais à part cela je ne recevais rien d'autre, j'avais la force de tenir debout, sans plus. Il suffit d'arroser la plante une seule fois pour qu'elle se reprenne, pour que ses feuilles se redressent. C'est ce qui m'est arrivé la première semaine.

Six jours après mon arrivée, en me regardant dans la glace le matin, je me suis aperçue que j'étais une autre. Ma peau était plus lisse, mes yeux plus lumineux, tout en m'habillant je me suis mise à chanter – cela ne m'était plus arrivé depuis mon enfance.

En entendant cette histoire de l'extérieur, peut-être trouveras-tu normal de penser que sous cette euphorie s'agitaient des questions, une inquiétude, un tourment. Au fond, j'étais une femme mariée : comment pouvais-je accepter d'un cœur léger la compagnie d'un autre homme ? Mais non, je ne me posais aucune question, je n'avais aucun doute : non parce que j'étais dénuée de préjugés, mais parce que ce que je vivais concernait mon corps, uniquement. J'étais comme un petit animal qui, après avoir longuement erré sur les routes en hiver, trouve un abri bien chaud et ne se demande rien, il reste là à jouir de cette chaleur. En outre, je n'avais qu'une piètre estime pour mon charme féminin, par conséquent l'idée qu'un homme pût ressentir pour moi ce genre d'intérêt ne m'effleurait même pas.

Le premier dimanche, alors que je me rendais à la messe à pied, Ernesto s'est arrêté à ma hauteur, au volant d'une voiture. « Où allez-vous ? » m'a-t-il demandé en sortant la tête, et dès que je lui ai répondu, il a ouvert la portière en disant : « Croyez-moi, Dieu sera beaucoup plus content si, au lieu d'aller à l'église, vous venez faire une belle promenade dans les bois. » Après de longs détours et de nombreux virages, nous sommes arrivés au début d'un sentier qui disparaissait entre les châtaigniers. Je ne portais pas de chaussures adaptées à ce type de marche, je trébuchais sans arrêt. Quand Ernesto m'a pris la main, cela m'a paru la chose la plus naturelle du monde. Nous avons marché longtemps, en silence. L'air sentait déjà l'automne, la terre était humide, sur les arbres beaucoup de feuilles avaient déjà jauni et la lumière, qui les traversait, s'adoucissait de nuances différentes. A un moment, au milieu d'une clairière, nous nous sommes retrouvés devant un énorme châtaignier. Je me suis souvenue de mon chêne et je suis allée vers l'arbre, je l'ai d'abord caressé de la main, puis j'ai posé ma joue sur son tronc. Aussitôt après, Ernesto a appuyé sa tête près de la mienne. Depuis que nous avions fait connaissance, mes yeux n'avaient jamais été aussi près des siens.

Le lendemain, je n'ai pas voulu le voir. L'amitié était en train de se transformer en autre chose et j'avais besoin de réfléchir. Je n'étais plus une petite fille mais une femme mariée, avec les responsabilités que cela implique, lui aussi était marié et, de plus, il avait un fils. J'avais programmé ma vie jusqu'à la vieillesse : l'irruption de quelque chose que je n'avais pas prévu me rendait très anxieuse. Je ne savais pas comment me comporter. Au premier abord, la nouveauté effraie, pour réussir à avancer il faut surmonter ce sentiment de danger. A certains moments je pensais : « C'est une grosse bêtise, la plus grosse de toute ma vie, je dois tout oublier, effacer le peu qu'il y a eu entre nous. » L'instant d'après je me disais que la bêtise la plus grande aurait été de renoncer, parce que pour la première fois depuis que j'étais petite, je me sentais de nouveau vivante, tout vibrait autour de moi, en moi, et il me paraissait impossible de renoncer à ce nouvel état. A part cela, naturellement, j'avais une crainte, une crainte qui est, ou qui était, commune à toutes les femmes : qu'il se moquât de moi, qu'il eût envie de s'amuser et rien d'autre. Toutes ces pensées tourbillonnaient dans ma tête, pendant que j'étais seule dans la chambre sans gaieté de la pension.

Cette nuit-là, je n'arrivai pas à m'endormir avant quatre heures du matin, j'étais trop excitée. Le lendemain matin pourtant, je ne me sentais pas fatiguée, tout en m'habillant je me mis à chanter : durant ces quelques heures, une terrible envie de vivre était née en moi. Le dixième jour, j'envoyai une carte à Augusto. J'écrivis : *Air excellent, nourriture médiocre. Espérons*. Je lui envoyais des baisers affectueux. La nuit précédente, je l'avais passée avec Ernesto.

Cette nuit-là, à l'improviste, je m'étais aperçue d'une chose : entre notre âme et notre corps il y a beaucoup de petites fenêtres ; si elles sont ouvertes, les émotions passent par là, si elles sont mi-closes, ces émotions filtrent à peine, seul l'amour peut les ouvrir toutes grandes et d'un seul coup, comme une rafale de vent.

La dernière semaine de mon séjour à Porretta nous sommes restés constamment ensemble ; nous faisions de longues promenades, nous parlions à en avoir la gorge sèche. Quelle différence entre les propos d'Ernesto et ceux d'Augusto ! Tout en lui était passion, enthousiasme, il savait traiter les sujets les plus difficiles avec une simplicité absolue. Il parlait souvent de Dieu, de l'existence possible d'autre chose, au-delà de la réalité tangible. Il avait fait la Résistance, il avait vu la mort en face à plusieurs reprises. A ces moments-là, il avait pensé qu'il existe quelque chose de supérieur, non pas à cause de la peur, mais parce que la conscience se dilate dans un espace plus ample.« Je ne peux pas suivre les rites, me disait-il, je n'irai jamais dans un lieu de culte, je ne pourrai jamais croire aux dogmes, aux histoires inventées par d'autres hommes comme moi. » Nous nous volions les mots de la bouche, nous pensions les mêmes choses, comme si nous nous connaissions depuis des années, et pas depuis quinze jours.

Il nous restait peu de temps, les dernières nuits nous n'avons guère dormi plus d'une heure, nous nous endormions juste le temps nécessaire pour reprendre des forces. Ernesto était passionné par la théorie de la prédestination. « Dans la vie de chaque homme, disait-il, il n'existe qu'une femme avec laquelle il peut trouver l'union parfaite, et dans la vie de chaque femme, il n'existe qu'un homme qui puisse la compléter. » Mais très peu de gens parviennent à se rencontrer. Les autres sont obligés de vivre en état d'insatisfaction, de nostalgie perpétuelle. « Combien de rencontres ont-elles eu lieu, disait-il dans l'obscurité de la chambre, une sur dix mille, une sur un million, sur dix millions ? » Une sur dix millions, oui. Toutes les autres sont des arrangements, des sympathies épidermiques, passagères, des affinités physiques ou psychologiques, des conventions sociales. Après ces considérations, il ne cessait de répéter : « Quelle chance nous avons eue, hein ? Que peut-il bien y avoir derrière tout cela, allez savoir. »

Le jour du départ, en attendant le train dans la petite gare, il m'a serrée dans ses bras et m'a chuchoté à l'oreille : « Dans quelle vie nous sommes-nous déjà rencontrés ? – Dans plusieurs », lui ai-je répondu, et je me suis mise à pleurer. Cachée dans mon sac à main, j'avais son adresse à Ferrare.

Inutile de te décrire mes sentiments pendant ces longues heures de voyage, ils étaient trop violents, trop « armés les uns contre les autres ». Je savais que, pendant ces heures-là, il me fallait opérer une métamorphose, j'allais sans cesse dans les toilettes pour surveiller l'expression de mon visage. La luminosité de mon regard, mon sourire devaient disparaître, s'éteindre. Pour témoigner de la qualité de l'air, il ne devait rester que la couleur de mes joues. Tout comme mon père, Augusto me trouva une mine extraordinaire. « Je savais que les eaux font des miracles », ne cessait de répéter mon père pendant qu'Augusto, chose presque incroyable, m'entourait de petites galanteries.

Quand tu ressentiras, toi aussi, l'amour pour la première fois, tu comprendras à quel point ses effets peuvent être variés et comiques. Tant que tu n'es pas amoureuse, tant que ton cœur est libre et que ton regard n'appartient à personne, aucun des hommes qui pourraient t'intéresser ne daigne t'accorder son attention puis, à partir du moment où tu es prise par une seule personne et que les autres ne t'intéressent pas, tous te poursuivent, te disent des mots doux, te font la cour. C'est l'effet des fenêtres dont je te parlais tout à l'heure, quand elles sont ouvertes le corps illumine l'âme et l'âme en fait autant avec le cœur, par un système de miroirs ils s'illuminent réciproquement.

En peu de temps se forme autour de toi une sorte
d'aura chaude et dorée, qui attire les hommes
comme le miel attire les ours. Augusto n'avait
pas échappé à cet effet et moi non plus, même si
cela peut te sembler étrange, je n'avais aucun mal
à être gentille avec lui. Bien sûr, si Augusto avait
été un peu plus concerné par les choses de ce
monde, un peu plus malin, il n'aurait pas tardé à
comprendre ce qui m'était arrivé. Pour la première fois depuis que nous étions mariés, j'ai été
amenée à remercier ses insectes horripilants.

Est-ce que je pensais à Ernesto ? Bien sûr, je
ne faisais pratiquement rien d'autre. Mais « penser » n'est pas le mot juste. Plus que penser,
j'existais pour lui, il existait en moi, dans chaque
geste, chaque pensée nous ne faisions qu'un. En
nous quittant, nous étions convenus que j'écrirais
la première ; pour qu'il puisse le faire, je devais
d'abord trouver l'adresse d'une amie sûre chez
qui il expédierait ses lettres. La première lettre, je
la lui envoyai la veille de la Toussaint. La période
qui suivit fut la plus terrible de toute notre liaison.
Même les plus grands amours, les plus absolus, ne sont pas exempts de doutes, dans l'éloignement. Le matin, j'ouvrais brusquement les
yeux alors que dehors il faisait encore nuit, et je
restais immobile et silencieuse près d'Augusto.
C'étaient les seuls moments durant lesquels je
n'étais pas obligée de cacher mes sentiments. Je

repensais à ces trois semaines. Je me demandais : et si Ernesto n'était qu'un séducteur, quelqu'un qui, par ennui, s'amusait dans cette station thermale avec les femmes seules ? Plus les jours passaient, plus la lettre tardait, et ce soupçon se transformait en certitude. Bon, me disais-je alors, même si ça s'est passé de cette façon, même si je me suis comportée en petite bonne femme naïve, ça n'a pas été une expérience négative ni inutile. Si je ne m'étais pas laissée aller, j'aurais vieilli et je serais morte sans jamais savoir ce que peut éprouver une femme. D'une certaine façon, tu comprends, j'essayais de me protéger, d'amortir le choc.

Mon père et Augusto remarquèrent tous deux l'altération de mon humeur : pour un rien je sursautais, dès que l'un d'eux entrait dans une pièce, je sortais pour aller dans une autre, j'avais besoin de rester seule. Je revoyais continuellement les semaines passées avec Ernesto, je les examinais frénétiquement minute par minute pour trouver un indice, une preuve qui m'aurait définitivement poussée dans un sens ou dans l'autre. Combien de temps dura ce supplice ? Un mois et demi, presque deux. La semaine avant Noël, la lettre arriva enfin chez l'amie qui servait d'intermédiaire : cinq pages couvertes d'une écriture grande et déliée.

Je retrouvai soudain ma bonne humeur. Entre

les lettres que j'écrivais et les réponses que j'attendais, l'hiver passa à toute vitesse, ainsi que le printemps. La pensée continuelle d'Ernesto altérait ma perception du temps, toutes mes énergies étaient concentrées sur un futur imprécis, sur le moment où je pourrais le revoir.

La profondeur de sa lettre m'avait désormais rassurée sur le sentiment qui nous liait. Le nôtre était un grand amour, et comme tous les amours vraiment grands, il était très éloigné des événements strictement humains. Peut-être trouveras-tu étrange que cet éloignement prolongé ne provoquât pas en nous une grande souffrance, et peut-être n'est-il pas exact de dire que nous ne souffrions pas. L'un comme l'autre, nous souffrions de cette distance forcée, mais c'était une souffrance mêlée à d'autres sentiments, derrière l'émotion de l'attente, la douleur passait à l'arrière-plan. Nous étions deux adultes mariés, nous savions qu'il en était ainsi et pas autrement. Il est probable que si tout cela s'était passé de nos jours, au bout d'un mois maximum j'aurais demandé la séparation d'avec Augusto, il aurait fait de même avec sa femme et avant Noël nous aurions habité dans la même maison. Cela aurait-il mieux valu ? Je n'en sais rien. Au fond, je n'arrive pas à me défaire de l'idée que la facilité des rapports banalise l'amour, qu'elle transforme l'intensité de l'émotion en caprice passager. Tu sais ce qui se passe quand, pour préparer un gâteau, tu incorpores mal la levure à la farine ? Au lieu de lever uniformément, le gâteau ne gonfle que d'un côté, non seulement il gonfle mais il explose, la pâte se brise et s'écoule hors du moule comme de la lave. Il en va de même avec l'unicité de la passion. Elle déborde.

A l'époque, avoir un amant et parvenir à le voir n'était pas une chose simple. Pour Ernesto, bien sûr, c'était déjà plus facile, étant médecin il pouvait toujours inventer un congrès, un examen, une visite urgente ; mais pour moi, en dehors de mes activités ménagères je n'en avais pas d'autres et c'était presque impossible. Je devais inventer une obligation, quelque chose qui me permît de m'absenter quelques heures ou quelques jours, sans éveiller de soupçons. Ainsi, avant Pâques, je m'inscrivis à une société de latinistes amateurs. Ils se réunissaient une fois par semaine et faisaient souvent des randonnées culturelles. Connaissant ma passion pour les langues anciennes, Augusto n'eut jamais de soupçons et ne trouva rien à redire, au contraire il était content que je renoue avec mes intérêts d'autrefois.

Cette année-là, l'été arriva en un rien de temps. A la fin du mois de juin, comme tous les ans, Ernesto partit pour la saison à la station thermale, et moi à la mer, accompagnée de mon père

174

et de mon mari. Durant ce mois, je réussis à convaincre Augusto que je n'avais pas cessé de désirer un enfant. Le 31 août, très tôt, il m'accompagna à la gare où je prendrais le train pour Porretta. J'avais la même valise et la même robe que l'année précédente. Pendant le voyage, j'étais si excitée que je ne pouvais pas tenir en place ; par la fenêtre je voyais le même paysage que l'année d'avant, et pourtant tout me paraissait différent.

Je restai là-bas trois semaines, durant lesquelles j'ai plus vécu, et plus profondément, que durant tout le reste de ma vie. Un jour, pendant qu'Ernesto travaillait, je pensai, tout en me promenant dans le parc, que la plus belle chose serait de mourir à l'instant même. Cela peut paraître étrange, mais le comble du bonheur, tout comme le comble du malheur, amène toujours ce désir contradictoire. J'avais l'impression d'être en marche depuis longtemps, d'avoir marché des années et des années sur des chemins de terre, à travers des fourrés ; pour avancer je m'étais frayé un passage avec une hache, j'avançais sans avoir rien vu de ce qui m'entourait ni de ce qui se trouvait à mes pieds ; je ne savais pas où j'allais, il y avait peut-être devant moi un précipice, un ravin, une grande ville ou un désert ; puis tout à coup les fourrés s'étaient écartés, sans m'en rendre compte j'étais montée tout en haut. Soudain, je me retrouvais au sommet d'une montagne, le soleil s'était levé depuis peu, et devant moi, avec des nuances différentes, d'autres montagnes s'estompaient vers l'horizon ; tout était d'un bleu azur, une brise légère effleurait la cime, la cime et ma tête, ma tête et les pensées qui s'y trouvaient. De temps à autre un bruit montait d'en bas, l'aboiement d'un chien, les cloches d'une église. Chaque chose était à la fois étrangement légère et intense. A l'intérieur et à l'extérieur de moi, tout était devenu clair, rien ne se superposait plus, il n'y avait plus d'ombres, je n'avais plus envie de descendre, de retourner dans les fourrés ; je voulais me plonger dans ce bleu et y rester pour toujours, quitter la vie au moment le plus intense. Cette pensée ne me quitta pas jusqu'au soir, jusqu'à ce que je retrouve Ernesto. Mais pendant le dîner je n'eus pas le courage de lui en parler, j'avais peur qu'il se mît à rire. Très tard le soir, quand il me rejoignit dans ma chambre, vint vers moi et m'étreignit, j'approchai ma bouche de son oreille pour lui parler. Je voulais lui dire : « Je veux mourir. » Au lieu de cela, tu sais ce que je lui ai dit ? « Je veux un enfant. »

Quand je quittai Porretta, je savais que j'étais enceinte. Je crois qu'Ernesto aussi le savait, les derniers jours il était très troublé, confus, il restait souvent silencieux. Moi je me sentais très bien. Dès le matin qui avait suivi la conception, mon corps avait commencé à se modifier, mes seins étaient soudain plus gonflés, plus fermes, la peau de mon visage plus lumineuse. C'est incroyable comme le physique met peu de temps à s'adapter à un nouvel état. Je peux t'assurer que, même si je n'avais pas encore fait d'analyses, même si mon ventre était encore plat, je savais ce qui s'était passé. Tout à coup, je me sentais envahie par une grande luminosité, mon corps se modifiait, commençait à se dilater, à devenir puissant. Je n'avais jamais rien éprouvé de tel.

Les soucis ne m'assaillirent que quand je me retrouvai seule dans le train. Tant que j'avais été près d'Ernesto, je n'avais eu aucun doute sur le fait que je garderais l'enfant : Augusto, ma vie à Trieste, les ragots des gens, tout était très loin. Mais désormais tout ce monde-là se rapprochait, la rapidité avec laquelle ma grossesse avancerait me forçait à prendre des décisions au plus tôt et, une fois prises, à m'y tenir une fois pour toutes. Paradoxalement, je compris tout de suite qu'il me serait plus difficile de me faire avorter que de garder l'enfant. Un avortement n'aurait pas échappé à Augusto. Comment aurais-je pu le justifier à ses yeux, après avoir insisté tant d'années sur mon désir d'avoir un enfant ? Et puis je ne voulais pas avorter, cet être qui vivait en moi n'avait pas été une erreur, quelque chose à éliminer au plus tôt. C'était l'accomplissement d'un désir, peut-être le plus grand et le plus intense de toute ma vie.

Quand on aime un homme – quand on l'aime de tout son corps et de toute son âme – rien n'est plus naturel que de désirer un enfant. Il ne s'agit pas d'une volonté délibérée, d'un choix fondé sur des critères rationnels. Avant de connaître Ernesto, je m'imaginais que je voulais un enfant et je savais exactement pourquoi je le voulais, quels seraient les avantages et les inconvénients d'un tel choix. Bref c'était un choix rationnel, je voulais un enfant parce que j'avais un certain âge et que j'étais très seule, parce que j'étais une femme et que, si les femmes ne font rien, au moins elles peuvent faire des enfants. Tu comprends ? Si j'avais acheté une voiture, j'aurais adopté exactement les mêmes critères.

Mais cette nuit-là, quand j'ai dit à Ernesto : « Je veux un enfant », c'était différent, une décision qui n'avait rien à voir avec le bon sens et qui pourtant était plus forte que celui-ci. Et au fond, ce n'était même pas une décision, c'était une frénésie, une soif de possession perpétuelle. Je voulais Ernesto à l'intérieur de moi, avec moi, près de moi pour toujours. Maintenant, en apprenant de quelle façon je me suis comportée, tu frissonneras peut-être d'horreur, tu te demanderas comment tu as pu ne pas t'apercevoir plus tôt que je cachais des aspects aussi bas, aussi méprisables.

178

Quand je suis arrivée à la gare de Trieste, j'ai fait la seule chose que je pouvais faire, je suis descendue du train comme une épouse tendre et amoureuse. Augusto a aussitôt été frappé par mon changement, au lieu de me poser des questions il a cédé à l'émotion.

Au bout d'un mois, il pouvait croire que cet enfant était le sien. Le jour où je lui annonçai le résultat des analyses, il quitta son bureau au milieu de la matinée et passa toute la journée avec moi, projetant des aménagements pour l'arrivée de l'enfant. Quand, approchant ma tête de la sienne, je criai la nouvelle à mon père, il prit mes mains entre ses mains desséchées et resta ainsi, immobile un moment, pendant que ses yeux devenaient rouges et humides. Depuis un certain temps déjà, la surdité l'avait exclu d'une grande partie de la vie et ses raisonnements procédaient par à-coups, entre deux phrases il y avait des vides imprévus, des déchets ou des lambeaux de souvenirs qui n'avaient rien à voir avec son propos. Je ne sais pas pourquoi, mais devant ses larmes, au lieu d'être émue j'éprouvai un léger agacement. J'y voyais de la rhétorique et rien d'autre. De toute façon, il n'eut pas le temps de connaître sa petite-fille. Il mourut dans son sommeil sans souffrir, alors que j'étais enceinte de sept mois. En le voyant allongé dans son cercueil, je fus frappée de le voir si desséché et décrépit. Sur le visage il avait son expression de toujours, distante et neutre.

Naturellement, après avoir reçu le résultat des analyses, j'écrivis aussi à Ernesto ; sa réponse arriva moins de dix jours après. J'attendis quelques heures avant d'ouvrir la lettre, j'étais très agitée, je craignais qu'elle ne contînt quelque chose de désagréable. Je ne me décidai à la lire que tard dans l'après-midi ; pour pouvoir le faire en toute tranquillité, je m'enfermai dans les toilettes d'un café. Ses paroles étaient paisibles et raisonnables. « Je ne sais pas si c'est la meilleure chose à faire, disait-il, mais si tu as pris cette décision, je la respecte. »

A partir de ce jour-là, tous les obstacles étant désormais aplanis, je me mis à attendre tranquillement la naissance. Est-ce que je me sentais un monstre ? L'étais-je ? Je ne sais pas. Durant ma grossesse, et pendant une bonne partie des années suivantes, je n'ai éprouvé ni doutes ni remords. Comment pouvais-je feindre d'aimer un homme, alors que dans mon ventre je portais l'enfant d'un autre que j'aimais vraiment ? En réalité, vois-tu, les choses ne sont jamais aussi simples, elles ne sont jamais ni toutes noires ni toutes blanches, chaque couleur comporte des nuances très différentes. Je n'avais aucun mal à être gentille et affectueuse avec Augusto, parce que je l'aimais bien, vraiment. Ce n'était pas le même amour que celui que je portais à Ernesto, je l'aimais non comme une femme aime un homme, mais comme une sœur aime un frère aîné un peu ennuyeux. S'il avait été méchant, tout aurait été différent, je n'aurais jamais eu l'idée d'avoir un enfant avec lui et de vivre à ses côtés, mais il était méthodique à en mourir et prévisible ; à part cela, au fond de lui-même il était gentil et bon. Il était heureux d'avoir cet enfant et moi j'étais heureuse de le lui donner. Pour quelle raison aurais-je dû lui dévoiler mon secret ? Si j'avais agi ainsi, j'aurais plongé trois vies dans le malheur permanent. En tout cas, c'est ce que je pensais alors. Maintenant que l'on est libre de ses mouvements, de ses choix, ce que j'ai fait peut te paraître vraiment horrible mais à l'époque – quand je me suis retrouvée dans cette situation – je ne te dirai pas que c'était la même chose pour tous les couples, mais il était plutôt fréquent qu'une femme conçoive un enfant d'un autre homme que son mari. Et que se passait-il ? Ce qui s'est passé pour moi et rien d'autre. L'enfant naissait, il était élevé exactement comme ses frères et sœurs, il grandissait sans être effleuré par le moindre soupçon. A cette époque-là, la famille avait des bases très solides, pour la détruire il fallait bien plus qu'un enfant « adultérin ». Il en fut ainsi avec ta mère. Elle naquit et, tout de suite, elle fut ma fille et celle d'Augusto.

La chose la plus importante pour moi était qu'Ilaria fût le fruit de l'amour et non du hasard, des conventions ou de l'ennui ; je pensais que cela éliminerait tout problème. Comme je me trompais !

Les premières années, tout s'est passé de manière naturelle, sans heurts. Je ne vivais que pour elle, j'étais – ou je croyais être – une mère très affectueuse et attentive. Dès le premier été j'avais pris l'habitude de passer les mois les plus chauds sur la côte adriatique, avec la petite. Nous avions loué une maison et, toutes les deux ou trois semaines, Augusto venait nous retrouver le samedi et le dimanche.

Sur cette plage, Ernesto vit sa fille pour la première fois. Naturellement, il faisait semblant d'être un parfait étranger, pendant la promenade il marchait près de nous « par hasard », il installait un parasol à quelques pas de distance et de là – quand Augusto était absent – il nous observait pendant des heures, en dissimulant son attention derrière un livre ou un journal. Puis le soir, il m'écrivait de longues lettres où il notait tout ce qui lui était passé par la tête, ses sentiments pour nous, ce qu'il avait vu. Entre-temps sa femme aussi avait eu un autre enfant, il avait quitté son emploi saisonnier à la station thermale et avait ouvert son propre cabinet médical à Ferrare, la ville où il habitait. Jusqu'aux trois ans d'Ilaria,

excepté quelques rencontres faussement for-
tuites, nous ne nous sommes jamais vus. Moi,
j'étais très occupée par la petite, tous les matins
je me réveillais pleine de joie à l'idée qu'elle était
là, même si je l'avais voulu je n'aurais pu me
consacrer à rien d'autre.

Un peu avant de nous quitter, durant le dernier
séjour à la station thermale, Ernesto et moi
avions établi un pacte. « Tous les soirs, avait dit
Ernesto, à onze heures pile, où que je me trouve
et quoi que je fasse, je sortirai, et dans le ciel, je
chercherai Sirius. Tu en feras autant, et ainsi nos
pensées, même si nous sommes très loin l'un de
l'autre, même si nous ne nous sommes pas vus
depuis longtemps et si nous ne savons plus rien
l'un de l'autre, se retrouveront là-haut et seront
proches. » Puis nous étions sortis sur le balcon de
la pension et, cherchant du doigt parmi les
étoiles, entre Orion et Bételgeuse, il m'avait
montré Sirius.

12 décembre

Cette nuit, j'ai été réveillée à l'improviste par un bruit, j'ai mis un moment avant de comprendre que c'était le téléphone. Quand je me suis levée, il avait déjà sonné plusieurs fois, avant même que j'aie décroché il s'est arrêté de sonner. J'ai tout de même soulevé le récepteur, j'ai dit « allô » deux ou trois fois, d'une voix mal assurée et ensommeillée. Au lieu de retourner me coucher, je me suis assise dans le fauteuil à côté de l'appareil. C'était toi ? Qui cela aurait-il pu être ? Ce bruit, dans le silence nocturne de la maison, m'a secouée. Je me suis souvenue de l'histoire que m'a racontée une amie il y a quelques années. Son mari se trouvait à l'hôpital depuis longtemps. A cause de la rigidité des horaires, elle n'a pas pu être à ses côtés le jour où il est mort. Accablée de douleur par ces circonstances, elle n'a pas réussi à dormir la première nuit, elle était immobile dans le noir quand

185

soudain le téléphone sonna. Elle fut surprise, était-il possible que quelqu'un lui téléphone pour lui présenter ses condoléances à une heure pareille ? Tandis qu'elle approchait la main du récepteur elle fut frappée par un fait étrange : un halo de lumière tremblotante entourait l'appareil. Dès qu'elle répondit, la surprise se mua en terreur. A l'autre bout du fil, elle entendit une voix lointaine qui parlait avec difficulté : « Marta, dit-elle parmi des sifflements et des bruits de fond, je voulais te saluer avant de partir... » C'était la voix de son mari. Après cette phrase il y eut, pendant un instant, un bruit de vent très fort et aussitôt après, la communication fut coupée et ce fut le silence. J'avais eu pitié du trouble profond dans lequel se trouvait mon amie : l'idée que, pour communiquer, les morts choisissent les moyens les plus modernes me paraissait pour le moins bizarre. Toutefois, cette histoire a dû laisser des traces dans ma sensibilité. Au fond, tout au fond, dans cette partie de moi la plus naïve et portée à la magie, j'espère, moi aussi, que tôt ou tard, au cœur de la nuit, quelqu'un me téléphonera pour me saluer de l'au-delà. J'ai enterré ma fille, mon mari et l'homme que j'aimais le plus au monde. Ils sont morts, ils ne sont plus là et je continue à me comporter comme si je survivais à un naufrage. Le courant m'a emmenée en sécurité sur une île, je ne sais plus rien de mes compa-

gnons, je les ai perdus de vue au moment même
où la barque a chaviré, ils ont dû se noyer – c'est
presque sûr – mais il se pourrait aussi qu'ils
soient sains et saufs. Même si des mois et des
années se sont écoulés, je continue à scruter les
îles proches dans l'attente d'une fumée, d'un
signal, quelque chose qui confirmerait mon
espoir de les savoir encore tous en vie, sous le
même ciel que moi.

La nuit où Ernesto est mort, j'ai été réveillée
par un grand bruit. Augusto a allumé la lumière
et s'est écrié : « Qui est là ? » Dans la chambre,
il n'y avait personne, chaque chose était à sa
place. Le matin seulement, en ouvrant la porte de
l'armoire, je me suis aperçue qu'à l'intérieur
toutes les étagères s'étaient effondrées, les chaus-
settes, les chaussures, les écharpes et les culottes
avaient dégringolé les unes sur les autres.

A présent, je peux dire « la nuit où Ernesto
est mort ». Mais ce jour-là, je ne le savais pas,
je venais de recevoir une de ses lettres, j'étais à
des lieues d'imaginer ce qui s'était passé. J'ai
seulement pensé que l'humidité avait moisi les
soutènements des étagères et qu'elles avaient
cédé sous le poids. Ilaria avait quatre ans, depuis
peu elle avait commencé à fréquenter l'école
maternelle, ma vie avec elle et Augusto s'était
maintenant installée dans une routine paisible.
Cet après-midi-là, après la réunion des latinistes,

j'allai dans un café pour écrire à Ernesto. Un rassemblement était prévu deux mois plus tard à Mantoue, c'était l'occasion que nous attendions depuis longtemps pour nous revoir. Avant de rentrer à la maison je postai la lettre et, la semaine suivante, je commençai à attendre une réponse. Je n'en reçus pas, ni la semaine suivante, ni les autres. Il ne m'était jamais arrivé d'attendre aussi longtemps. Au début, je supposai une erreur des Postes, puis je pensai qu'il était peut-être malade et n'avait pu se rendre à son bureau pour retirer le courrier. Un mois après, je lui écrivis un mot, et celui-là aussi resta sans réponse. Plus les jours passaient, plus je commençais à me sentir comme une maison dont les fondations sont minées par un cours d'eau. Au début, c'était un cours minuscule, discret, il léchait à peine les structures en ciment mais ensuite, avec le temps, il était devenu plus gros, plus impétueux, sa force avait transformé le ciment en sable ; même si la maison était encore debout, même si en apparence tout était normal, je savais que ce n'était pas vrai, qu'il suffirait d'une secousse, même minime, pour que la façade et tout le reste s'écroulent, pour qu'elle s'effondre comme un château de cartes.

Quand je partis pour mon congrès, je n'étais plus que l'ombre de moi-même. Après avoir fait acte de présence à Mantoue, j'allai tout droit à Ferrare, où j'essayai de comprendre ce qui s'était passé. Au bureau, personne ne répondait, de la rue on voyait les volets toujours fermés. Le deuxième jour, j'allai dans une bibliothèque et demandai à consulter les journaux des mois précédents. Dans un entrefilet, je trouvai la réponse à toutes mes questions. En rentrant d'une visite nocturne à un malade, il avait perdu le contrôle de sa voiture et était allé s'écraser contre un grand platane ; la mort avait été presque instantanée. Le jour et l'heure coïncidaient exactement avec ceux de l'effondrement dans mon armoire.

Un jour, en feuilletant l'une des revues à sensation que m'apporte de temps en temps Mme Razman, j'ai lu dans l'horoscope que Mars dans sa huitième maison préside aux morts violentes. D'après cet article, ceux qui naissent sous cette configuration d'étoiles sont destinés à ne pas mourir paisiblement Peut-être cette triste conjonction brillait-elle dans le ciel d'Ernesto et d'Ilaria. A plus de vingt ans de distance, père et fille ont disparu de la même façon, en s'écrasant contre un arbre avec leur voiture.

Après la mort d'Ernesto, je sombrai dans une profonde dépression. Tout à coup, je me rendais compte que la lumière dont j'avais brillé les dernières années ne venait pas de l'intérieur de moi, elle n'était qu'un reflet. Le bonheur, l'amour pour la vie que j'avais ressentis ne m'appartenaient pas vraiment : en réalité, j'avais seulement joué le rôle d'un miroir. Ernesto rayonnait et je reflétais cette lumière. Lui disparu, tout était redevenu opaque. La vue d'Ilaria ne me remplissait plus de joie mais d'irritation, j'étais tellement secouée que j'en vins même à douter qu'elle fût vraiment la fille d'Ernesto. Elle s'aperçut de ce changement, avec ses antennes de petite fille sensible elle sentit ma répulsion, devint capricieuse, arrogante. Désormais, c'était elle la jeune plante pleine de vie, et moi le vieil arbre qu'elle étoufferait bientôt. Elle flairait mon sentiment de culpabilité comme un limier, elle s'en servait pour me dominer. La maison était devenue un petit enfer rempli de cris et de querelles.

Pour me soulager de ce poids, Augusto embaucha une femme qui s'occuperait de la petite. Pendant un moment il avait essayé de l'intéresser aux insectes, mais au bout de trois ou quatre tentatives – vu que chaque fois elle hurlait « quelle horreur ! » – il renonça. Son âge devint tout à coup évident, il avait l'air d'être non le père mais le grand-père de sa fille, avec laquelle il était gentil mais distant. Quand je passais devant la glace, je me trouvais très vieillie moi aussi, mes traits avaient une dureté inconnue jusque-là. Je me négligeais : c'était une manière d'exprimer le mépris que j'éprouvais pour moi-même. Grâce à l'école et à la femme de ménage, j'avais désormais beaucoup de temps libre.

L'inquiétude me poussait à le meubler en bougeant ; je prenais la voiture et sillonnais le Carso, conduisant dans un état second.

Je me remis à certaines lectures religieuses que j'avais faites quand j'habitais à L'Aquila. Dans ces pages, je cherchais avec fureur une réponse. Tout en marchant, je répétais au fond de moi la phrase de saint Augustin à l'occasion de la mort de sa mère : « Ne soyons pas tristes de l'avoir perdue, mais soyons reconnaissants de l'avoir eue. »

Une amie m'avait poussée à rencontrer deux ou trois fois son confesseur ; je sortais de ces rencontres encore plus désespérée qu'avant. Ses mots étaient douceâtres, ils célébraient la puissance de la foi comme si celle-ci était une denrée alimentaire en vente à tous les coins de rue. Je n'arrivais pas à me résigner à la mort d'Ernesto, et avoir découvert que je n'avais pas de lumière propre rendait encore plus difficiles mes tentatives pour trouver une réponse. Tu vois, quand je l'avais rencontré, quand notre amour était né, je m'étais soudain persuadée que ma vie avait trouvé un sens, j'étais heureuse d'exister, heureuse de tout ce qui existait en même temps que moi, je me sentais arrivée au sommet de mon chemin, au point le plus stable, j'étais sûre que personne ne pourrait me chasser de là-haut. Il y avait en moi la certitude un peu orgueilleuse des gens qui ont tout compris. Pendant plusieurs années j'avais été sûre d'avoir parcouru le chemin de mes propres jambes, alors que je n'avais pas fait un pas toute seule. Je ne m'en étais pas rendu compte, mais au-dessous de moi il y avait un cheval, c'était lui qui avançait dans le chemin, pas moi. Au moment même où le cheval a disparu, je me suis aperçue que j'avais des pieds, qu'ils étaient faibles, je voulais marcher et mes chevilles cédaient, les pas que je faisais étaient mal assurés, c'étaient ceux d'un tout petit enfant ou d'un vieillard. Un moment, j'ai pensé m'agripper à une branche quelconque : la religion, le travail. Cette idée n'a pas duré longtemps. Presque tout de suite, j'ai compris que ce serait une erreur de plus. A quarante ans il n'y a plus de place pour les erreurs. Si tout à coup on se retrouve nu, il faut avoir le courage de se regarder dans une glace tel que l'on est. Je devais tout reprendre à zéro. Oui, mais par quoi commencer ? Par moi-même. C'était facile à dire, mais bien plus difficile à faire. Où en étais-je ? Qui étais-je ? Quand avais-je été moi-même pour la dernière fois ?

Je te l'ai déjà dit, je roulais des après-midi entiers sur le haut plateau. Parfois, quand je sentais que la solitude accentuerait ma mauvaise humeur, je descendais en ville, mêlée à la foule je sillonnais les rues les plus familières, à la recherche d'un apaisement. A présent c'était comme si j'avais eu un travail, je sortais en même temps qu'Augusto et je rentrais quand il rentrait. Le médecin qui me soignait lui avait dit que, dans certaines dépressions, l'envie frénétique de bouger était normale. Comme je n'avais pas d'idées suicidaires, il n'y avait aucun risque à me laisser courir de tous côtés ; d'après lui, à force de courir je finirais par me calmer. Augusto avait accepté ses explications; je ne sais pas s'il y croyait vraiment ou s'il n'y avait en lui que paresse et désir de tranquillité ; je lui étais reconnaissante de s'effacer, de ne pas faire obstacle à ma grande inquiétude.

Le médecin avait raison sur un point : malgré cette grave dépression nerveuse je n'avais pas d'idées suicidaires. C'est étrange, mais il en était vraiment ainsi, après la mort d'Ernesto je n'ai jamais pensé à me suicider, pas même un instant, et ne crois pas que j'étais retenue par la pensée d'Ilaria. Je te l'ai dit, à ce moment-là, elle n'avait aucune importance pour moi. Je sentais plutôt, quelque part au fond de moi, que cette perte si soudaine n'était pas – ne devait pas, ne pouvait pas être – une fin en soi. Il y avait un sens là-dedans, je voyais ce sens devant moi comme une marche gigantesque. Était-elle là pour que je l'escalade ? Probablement oui, mais je n'arrivais pas à imaginer ce qui se trouvait derrière, ce que je verrais une fois là-haut.

Un jour où je roulais en voiture, j'arrivai à un endroit où je n'étais jamais allée. Il y avait une petite église et à côté un cimetière, elle était entourée de collines couvertes de fourrés ; au sommet d'une colline on apercevait la cime claire d'un château. Non loin de l'église on voyait deux ou trois maisons de paysans, des poules grattaient librement le sol, un chien noir aboyait. Sur le panneau était écrit « Samatorza ». « Samatorza », le son ressemblait à celui de « solitude », l'endroit idéal pour rassembler ses pensées. Un sentier pierreux partait de là, je me mis à marcher sans me demander où il conduisait. Le soleil déclinait mais, plus j'avançais, moins j'avais envie de m'arrêter, de temps à autre un geai me faisait sursauter. Quelque chose me poussait à avancer. Quoi ? Je ne le compris que lorsque j'arrivai dans une clairière et que je vis là, placide et majestueux, les branches ouvertes comme des bras prêts à m'accueillir, un chêne énorme.

C'est drôle à dire, mais dès que je l'ai vu, mon cœur s'est mis à battre d'une façon différente, il palpitait, on aurait dit un petit animal content, il ne battait de cette façon que quand je voyais Ernesto. Je me suis assise sous l'arbre, je l'ai caressé, j'ai appuyé le dos et la nuque contre son tronc.

Gnosei seauton*, j'avais écrit ces mots, jeune fille, sur la première page de mon cahier de grec. Au pied du chêne, cette phrase ensevelie dans ma mémoire m'est soudain revenue à l'esprit. Connais-toi toi-même. Air. Respiration.

---

* *Gnosei seauton* : le « Connais-toi toi-même » de Socrate. *(N. d. T.).*

16 décembre

Cette nuit, il a neigé, sitôt réveillée j'ai vu que le jardin était tout blanc. Buck courait comme un fou sur la pelouse, il sautait, aboyait, prenait une branche dans la gueule et la jetait en l'air. Plus tard Mme Razman est venue me voir, nous avons bu un café, elle m'a invitée à passer la soirée de Noël chez eux. « Que faites-vous de votre temps ? » m'a-t-elle demandé avant de partir. J'ai haussé les épaules. « Rien, lui ai-je répondu, je regarde un peu la télévision, je pense. »

Elle ne me pose jamais de questions sur toi, elle tourne autour du pot avec discrétion mais au ton de sa voix je comprends qu'elle te trouve ingrate. « Les jeunes, dit-elle souvent au beau milieu d'un discours, n'ont pas de cœur, ils n'ont plus le respect qu'ils avaient autrefois. » Pour couper court, j'acquiesce mais au fond de moi je suis convaincue que le cœur n'a pas changé, il y a moins d'hypocrisie, voilà tout. Les jeunes ne sont pas naturellement égoïstes, de même que les vieux ne sont pas naturellement sages. Compréhension et superficialité ne sont pas liées à l'âge mais au chemin que chacun parcourt. Quelque part, je ne sais plus où, j'ai lu récemment un dicton des Indiens d'Amérique qui disait : « Avant de juger une personne, marche pendant trois lunes dans ses mocassins. » Il m'a tellement plu que pour ne pas l'oublier, je l'ai recopié sur le bloc-notes près du téléphone. Vues de l'extérieur, beaucoup de vies paraissent ratées, irrationnelles, folles. Tant que l'on est à l'extérieur, il est aisé de se tromper sur autrui. Ce n'est que de l'intérieur, en marchant trois lunes dans ses mocassins, que l'on peut comprendre les motivations, les sentiments, ce qui fait agir une personne de telle façon et pas d'une autre. La compréhension est le résultat de l'humilité, non de l'orgueil de savoir.

Enfileras-tu mes pantoufles après avoir lu cette histoire ? J'espère que oui, j'espère que tu traîneras longtemps les pieds d'une pièce à l'autre, que tu feras plusieurs fois le tour du jardin, du noyer au cerisier, du cerisier à la rose, de la rose à ces vilains pins noirs au bout de la pelouse. Je l'espère, pas pour quémander ta pitié, pas pour obtenir une absolution posthume, mais parce que c'est nécessaire pour toi, pour ton avenir. Comprendre d'où l'on vient, ce qu'il y a eu avant nous est le premier pas qui permet d'avancer sans mensonges.

Cette lettre, j'aurais dû l'écrire à ta mère, alors que je l'ai écrite pour toi. Si je ne l'avais pas écrite, alors oui, ma vie aurait vraiment été un échec. Il est naturel de commettre des erreurs mais, si l'on s'en va sans les avoir comprises, la vie n'a pas de sens. Les choses qui nous arrivent ne sont jamais gratuites ; chaque rencontre, chaque événement, même minime, renferme une signification, et la connaissance de soi naît de la disponibilité avec laquelle on les accueille, de la capacité de changer de direction à n'importe quel moment, de changer de peau comme les lézards avant la nouvelle saison.

Si ce jour-là, à presque quarante ans, je ne m'étais pas souvenue de la phrase écrite dans mon cahier de grec, si je n'avais pas tiré un trait avant de repartir, j'aurais continué à reproduire les mêmes erreurs que j'avais faites jusqu'à cet instant. Pour chasser le souvenir d'Ernesto j'aurais pu prendre un autre amant, puis un autre et un autre encore ; en cherchant quelqu'un d'identique, en essayant de revivre ce que j'avais déjà vécu, j'en aurais essayé des dizaines. Aucun n'aurait été pareil à l'original, et, de plus en plus insatisfaite, j'aurais continué ainsi, j'aurais peut-être été une vieille ridicule, entourée de jeunes hommes. Ou alors j'aurais pu haïr Augusto, au fond c'était aussi à cause de sa présence que je n'avais pas su prendre de décisions plus énergiques. Tu comprends ? Trouver des échappatoires quand on refuse de regarder en soi est la chose la plus facile du monde. Il existe toujours une cause extérieure, il faut avoir beaucoup de courage pour reconnaître ses propres fautes – ou plutôt ses responsabilités. Et pourtant, comme je te l'ai dit, c'est la seule façon d'avancer. Si la vie est un parcours, c'est un parcours qui ne se déroule qu'en montée.

A quarante ans j'ai compris d'où il me fallait partir. Comprendre où il me fallait arriver a été un processus très long, plein d'embûches, mais passionnant. Tu sais, il m'arrive maintenant de voir à la télévision, dans les journaux, cette prolifération de gourous ; du jour au lendemain, une foule de gens se mettent à suivre leurs préceptes. Je suis effrayée par la multiplication de tous ces maîtres à penser, par les chemins qu'ils préconisent afin de trouver la paix intérieure, l'harmonie universelle. C'est le signe d'un grand désarroi général. Au fond – et on le voit aisément – nous sommes à la fin d'un millénaire, et même si les dates ne sont que pure convention, cela fait peur, ces gens s'attendent qu'il arrive quelque chose de terrible, ils veulent être prêts. Alors ils vont voir des gourous, ils s'inscrivent dans des écoles pour découvrir qui ils sont et, au bout d'un mois, ils sont déjà imbus de cette arrogance qui caractérise les prophètes, les faux prophètes. Quel grand, quel épouvantable mensonge !

Le seul maître, le seul qui soit vrai et crédible est notre propre conscience. Pour la trouver il faut rester silencieux – seul et silencieux – nu et sans rien autour de soi comme si l'on était déjà mort. Au début tu n'entends rien, tu n'éprouves que de la terreur mais ensuite, au fond, très loin, tu commences à entendre une voix, c'est une voix tranquille et peut-être qu'au début sa banalité t'irrite. C'est drôle, tu te prépares à entendre de grandes choses et ce sont les petites qui se présentent devant toi. Elles sont si petites et si évidentes que tu aurais presque envie de crier : « Mais comment, c'est tout ? » Si la vie a un sens – te dira la voix – ce sens est la mort, toutes les autres choses ne font que tourner autour. Quelle belle découverte, vas-tu rétorquer, quelle belle et macabre découverte, même le dernier des hommes sait qu'il doit mourir. C'est vrai, nous le savons tous par la pensée, mais le savoir par la pensée est une chose, le savoir avec le cœur en est une autre, complètement différente. Quand ta mère se déchaînait contre moi, pleine d'arrogance, je lui disais : « Tu me fais mal au cœur. » Elle riait. « Ne sois pas ridicule, me répondait-elle, le cœur est un muscle, si tu ne cours pas il ne peut pas te faire mal. »

Quand elle a été assez grande pour comprendre, j'ai souvent essayé de lui parler, de lui expliquer le parcours qui m'avait amenée à m'éloigner d'elle. « C'est vrai, lui disais-je, à un certain moment de ton enfance je t'ai négligée, j'ai été gravement malade. Si j'avais continué à m'occuper de toi tout en étant malade, ç'aurait été pire. A présent je vais bien, nous pouvons en parler, discuter, repartir de zéro. » Elle ne voulait rien entendre, « maintenant, c'est moi qui vais mal », répondait-elle, et elle refusait de me parler. Elle détestait la sérénité que j'étais en train de trouver, elle faisait tout son possible pour la gâcher, pour m'entraîner dans ses petits enfers quotidiens. Elle avait décidé que son état était le malheur. Elle s'était barricadée en elle-même afin que rien ne pût troubler l'idée qu'elle s'était faite de sa vie. Bien sûr, elle disait qu'elle voulait être heureuse mais en réalité – tout au fond – à seize, dix-sept ans, elle s'était déjà interdit toute possibilité de changement. Pendant que moi, lentement, je m'ouvrais à une dimension différente, elle restait là immobile, les mains sur la tête, et attendait que les choses lui tombent dessus. Ma tranquillité nouvelle l'irritait, quand elle voyait les Évangiles sur ma table de chevet elle disait : « Tu dois te consoler de quoi ? »

Quand Augusto est mort, elle n'a même pas voulu venir à l'enterrement. Les dernières années, il avait été frappé par une artériosclérose sévère, il errait dans la maison en parlant comme un enfant et elle ne le supportait pas. « Qu'est-ce qu'il veut, ce monsieur ? » criait-elle dès qu'elle le voyait apparaître devant la porte d'une pièce, traînant les pieds. Quand il a disparu elle était âgée de seize ans, depuis qu'elle en avait quatorze elle ne l'appelait plus « papa ». Il est mort à l'hôpital, un après-midi de novembre. On l'avait hospitalisé la veille pour une crise cardiaque. J'étais dans la chambre avec lui, il ne portait pas son pyjama mais une camisole blanche lacée dans le dos. D'après les médecins, le pire était déjà passé.

L'infirmière venait de lui apporter son dîner quand soudain, comme s'il voyait quelque chose, il s'est levé et a fait trois pas vers la fenêtre. « Les mains d'Ilaria, a-t-il dit avec un regard opaque, personne n'a les mêmes dans la famille. » Puis il est retourné se coucher et il est mort. J'ai regardé par la fenêtre. Il tombait une pluie fine. Je lui ai caressé la tête.

Pendant dix-sept ans, sans jamais rien laisser percer, il avait gardé ce secret en lui.

Il est midi, le soleil brille et la neige est en train de fondre. Sur la pelouse devant la maison, l'herbe jaune apparaît par plaques, une à une, des gouttes d'eau tombent des branches des arbres. C'est étrange, mais avec la mort d'Augusto je me suis rendu compte que la mort en elle-même, à elle seule, n'apporte pas toujours le même genre de douleur. Il y a un vide soudain – le vide est toujours le même – mais c'est justement à l'intérieur de ce vide que la variété de la douleur prend forme. Tout ce que l'on n'a pas dit se matérialise dans cet espace et se dilate, se dilate encore et encore. Vide sans portes, sans fenêtres, sans issues de secours, ce qui reste là suspendu y reste à jamais, au-dessus de ta tête, avec toi, autour de toi, t'enveloppe et te désoriente, comme un brouillard épais. Le fait qu'Augusto ait su la vérité sur Ilaria et qu'il ne me l'ait jamais dit m'avait plongée dans un malaise terrible. J'aurais voulu lui parler d'Ernesto, de ce qu'il avait été pour moi, j'aurais voulu lui parler d'Ilaria, j'aurais voulu discuter avec lui d'une multitude de choses, mais ce n'était plus possible.

A présent, peut-être peux-tu comprendre ce que je t'ai dit au début : les morts pèsent moins par leur absence que par ce qui – entre eux et nous – n'a pas été dit.

Après la disparition d'Ernesto, j'avais cherché un réconfort dans la religion ; après la mort d'Augusto je fis de même. Je connaissais depuis peu un jésuite allemand, à peine plus âgé que moi. S'étant aperçu que les messes me mettaient mal à l'aise, il me proposa, au bout de quelques rencontres, de nous voir ailleurs qu'à l'église.

Comme nous aimions tous deux la marche, nous décidâmes de faire des promenades ensemble. Il venait me prendre tous les mercredis après-midi, chaussé de gros souliers et avec un vieux sac à dos ; son visage me plaisait beaucoup, il avait les traits creusés et graves d'un homme qui a grandi dans les montagnes. Au début, j'étais intimidée par sa condition de prêtre, je ne lui racontais les choses qu'à moitié, j'avais peur de le choquer, de m'attirer sa réprobation, des jugements impitoyables. Mais un jour, pendant que nous nous reposions sur une pierre il me dit : « Vous vous faites du mal, vous savez. Vous n'en faites qu'à vous-même. » A partir de ce moment je cessai de mentir, je lui ouvris mon cœur comme je ne l'avais fait avec personne depuis la disparition d'Ernesto. A force de parler, j'oubliai bien vite que j'avais en face de moi un homme d'Église. Contrairement aux autres prêtres que j'avais rencontrés, il ignorait les mots qui condamnent ou qui consolent, les messages convenus et douceâtres lui étaient étrangers. Il y avait en lui une sorte de dureté qui, à première vue, semblait vous tenir à distance. « Seule la douleur fait grandir, disait-il, mais il faut l'affronter, ceux qui s'esquivent ou se plaignent sont destinés à perdre. »

Gagner, perdre, les termes guerriers qu'il employait servaient à décrire une lutte silencieuse, tout intérieure. D'après lui, le cœur humain était comme la terre, à moitié éclairé par le soleil et à moitié dans l'ombre. Même les saints ne brillaient pas entièrement. « Par le simple fait que le corps existe, disait-il, nous sommes donc ombre, nous sommes comme les grenouilles, amphibies, une partie de nous vit ici-bas et l'autre tend vers le haut. Vivre n'est rien d'autre qu'être conscient de cela, le savoir, lutter afin que la lumière ne disparaisse pas, vaincue par l'ombre. Méfiez-vous de ceux qui sont parfaits, me disait-il encore, de ceux qui ont des solutions toutes prêtes, méfiez-vous de tout, sauf de ce que vous dit votre cœur. » Moi, je l'écoutais fascinée, je n'avais jamais rencontré personne qui exprimât aussi bien ce qui couvait en moi depuis longtemps sans arriver à sortir. Grâce à ses mots, mes pensées prenaient forme, soudain un chemin s'ouvrait devant moi, le parcourir ne me paraissait plus impossible.

De temps en temps, dans son sac il emportait un livre qui lui était particulièrement cher ; quand nous nous arrêtions il m'en lisait des passages de sa voix claire et sévère. Avec lui, j'ai découvert les prières des moines russes, l'oraison du cœur, j'ai compris les passages de l'Évangile et de la Bible qui jusqu'alors m'avaient paru obscurs. Au cours des années écoulées depuis la disparition d'Ernesto, j'avais certes accompli un cheminement intérieur, mais il s'était limité à la conscience de moi-même. Durant ce parcours, à un moment je m'étais retrouvée devant un mur, je savais que derrière ce mur la route continuait, encore plus lumineuse et large, j'ignorais comment le franchir. Un jour, pendant un orage imprévu, nous nous abritâmes à l'entrée d'une grotte. « Comment fait-on pour avoir la foi ? » lui demandai-je. – On ne fait rien, elle vient. Vous l'avez déjà mais votre orgueil vous empêche de l'admettre, vous vous posez trop de questions, vous compliquez ce qui est simple. En réalité vous avez une peur terrible, voilà tout. Laissez-vous aller, et ce qui doit arriver arrivera. »

En rentrant de ces promenades, je me sentais de plus en plus confuse, indécise. J'étais désagréable, je te l'ai dit, ses mots me blessaient. Très souvent j'ai eu envie de ne plus le voir, le mardi soir je me disais : maintenant je lui téléphone, je lui dis de ne pas venir parce que je ne me sens pas bien – mais je ne le faisais pas. Le mercredi après-midi, je l'attendais ponctuellement devant ma porte, avec mon sac et mes grosses chaussures.

Nos randonnées ont duré un peu plus d'un an, du jour au lendemain ses supérieurs l'ont destitué de sa charge.

Peut-être croiras-tu, en me lisant, que le père Thomas était un homme arrogant, qu'il y avait de la véhémence et du fanatisme dans ses propos, dans sa vision du monde. Mais au fond, c'était l'homme le plus doux et le plus paisible que j'aie jamais connu, ce n'était pas un soldat de Dieu. S'il y avait du mysticisme dans sa personnalité, il était concret, ancré dans les choses les plus quotidiennes.

« Nous sommes ici, maintenant », me répétait-il continuellement.

Devant la porte, il m'a remis une enveloppe. A l'intérieur il y avait une carte postale représentant des pâturages de montagne. Elle portait ces mots imprimés en allemand : le royaume de Dieu est en vous, et au dos, il avait écrit de sa main : « Assise sous le chêne, ne soyez-pas vous-même mais le chêne, dans la forêt soyez la forêt, sur le pré soyez le pré, parmi les hommes soyez avec les hommes. »

Le royaume de Dieu est en vous, tu te rappelles ? Cette phrase m'avait déjà frappée quand je vivais à L'Aquila, mariée et malheureuse. A l'époque, quand je fermais les yeux, quand je plongeais mon regard à l'intérieur de moi, je ne voyais rien. Après ma rencontre avec le père Thomas, quelque chose a changé, je continuais à ne rien voir mais ce n'était plus une cécité absolue, au fond de l'obscurité il commençait à y avoir une lueur, de temps à autre, pendant des instants très brefs, j'arrivais à m'oublier moi-

208

même. C'était une petite lumière, faible, juste une petite flamme, il aurait suffi d'un souffle pour l'éteindre. Mais sa présence me rendait étrangement légère, ce que je ressentais n'était pas du bonheur mais de la joie. Il n'y avait ni euphorie ni exaltation, je ne me sentais ni plus sage ni plus grande. Ce qui grandissait en moi n'était que la conscience sereine d'exister.

Pré sur le pré, chêne sous le chêne, personne parmi les personnes.

20 décembre

Précédée par Buck, ce matin, je suis allée au grenier. Il y a tant d'années que je n'avais pas ouvert cette porte ! Tout était recouvert de poussière, et de gros faucheux étaient suspendus aux poutres. En remuant les boîtes et les cartons, j'ai découvert deux ou trois nids de loirs, ils dormaient si profondément qu'ils ne se sont aperçus de rien. Quand on est enfant, on aime beaucoup les greniers, on les aime moins quand on est vieux. Tout ce qui était mystère, découverte aventureuse, devient souvenir douloureux.

Je cherchais la crèche, pour la trouver j'ai dû ouvrir plusieurs boîtes et deux gros coffres. Enveloppés dans des journaux et des chiffons, j'ai trouvé la poupée préférée d'Ilaria, ses jouets d'enfant.

Plus au fond, brillants et parfaitement conservés, il y avait les insectes d'Augusto, sa loupe, tout le matériel dont il se servait pour sa collection. Non loin de là, dans une boîte à bonbons, attachées avec un petit ruban rouge, les lettres d'Ernesto. Il n'y avait rien à toi, tu es jeune, vivante, le grenier n'est pas encore ton lieu.

En ouvrant les sachets contenus dans un des coffres, j'ai également trouvé les quelques objets de mon enfance qui ont échappé à l'effondrement de la maison. Ils étaient partiellement brûlés, noircis, je les ai sortis comme si c'étaient des reliques. Il s'agissait pour la plupart d'ustensiles de cuisine : une cuvette en émail, un sucrier en céramique blanc et bleu, des couverts, un moule à gâteau et au fond, les pages d'un livre, détachées et sans couverture. Quel livre était-ce ? Je n'arrivais pas à m'en souvenir. C'est seulement quand je l'ai pris délicatement entre mes mains et que j'ai commencé à en parcourir les lignes depuis le début que tout m'est revenu à l'esprit. L'émotion a été très forte ; ce n'était pas un livre quelconque mais celui que j'aimais le plus quand j'étais enfant, celui qui m'a fait rêver davantage que tous les autres. Il s'appelait *Les Merveilles de l'an 2000* et, à sa manière, c'était un livre de science-fiction. L'histoire était assez simple mais pleine d'imagination. Pour voir si les magnifiques conséquences du progrès s'avéreraient, deux savants de la fin du xixe siècle s'étaient fait congeler jusqu'à l'an 2000. Un siècle plus tard exactement, le petit-fils d'un de leurs collègues, un savant lui aussi, les avait décongelés et, à bord d'une petite soucoupe volante, il les avait emmenés faire une promenade instructive à travers le monde. Dans cette histoire il n'y avait ni extraterrestres ni astronefs, tout ce qui se passait concernait uniquement le destin de l'homme, ce qu'il avait construit de ses mains. Et d'après l'auteur, l'homme avait accompli beaucoup de choses, toutes merveilleuses. Il n'y avait plus ni faim ni pauvreté dans le monde parce que la science, alliée à la technologie, avait découvert le moyen de fertiliser tous les recoins de la planète et – chose encore plus importante – avait fait en sorte que cette fertilité soit répartie de manière égale entre tous les habitants de la Terre. De nombreuses machines soulageaient les hommes des fatigues du travail, les gens avaient beaucoup de temps libre et, ainsi, chaque être humain pouvait cultiver ses dons, tous les coins du globe résonnaient de musiques, de poèmes, de conversations philosophiques aussi paisibles que doctes. Comme si cela ne suffisait pas, grâce à la soucoupe volante on pouvait se déplacer d'un continent à l'autre en un peu moins d'une heure. Les deux vieux savants avaient l'air très satisfaits ; tout ce qu'ils avaient imaginé dans leur foi positiviste s'était avéré. En feuilletant le livre, j'ai également retrouvé mon illustration préférée : celle où les deux gros savants, avec barbe darwinienne et gilet à carreaux, se penchaient avec ravissement pour regarder par-dessus la soucoupe volante.

Afin de chasser les doutes, l'un des deux avait osé poser la question qui lui tenait le plus à cœur : « Et les anarchistes, avait-il demandé, les révolutionnaires, ils existent encore ?

– Oh, bien sûr qu'ils existent, avait répondu leur guide en souriant. Ils vivent dans des villes rien qu'à eux, construites sous la glace des pôles, de sorte que si par hasard ils voulaient nuire aux autres, ils seraient incapables de le faire.

– Et les armées, enchaînait l'autre, comment se fait-il qu'on ne voie pas un seul soldat ?

– Les armées n'existent plus », répondait le jeune homme.

A ce moment-là, les deux poussaient un soupir de soulagement : enfin, l'homme avait retrouvé sa bonté originelle ! Soupir qui ne durait pas longtemps parce que, aussitôt après, le guide leur disait : « Oh non, ce n'est pas pour cette raison. L'homme n'a pas perdu sa passion de détruire, il a seulement appris à se retenir. Les soldats, les canons, les baïonnettes sont dépassés désormais. A la place, nous avons une bombe toute petite, mais ultra-puissante : on lui doit justement l'absence de guerres. En effet, il suffit de grimper sur une montagne et de la laisser tomber de là-haut pour réduire le monde entier en une pluie de débris et d'éclats. »

Les anarchistes ! Les révolutionnaires ! Que de cauchemars ces deux mots ont suscités durant mon enfance ! Pour toi, c'est peut-être un peu difficile à comprendre, mais dis-toi que quand la révolution d'Octobre a éclaté, j'avais sept ans. J'entendais les grandes personnes chuchoter des choses terribles, une de mes camarades de classe m'avait dit que, bientôt, les cosaques descendraient jusqu'à Rome, place Saint-Pierre, et qu'ils feraient boire leurs chevaux aux sources sacrées. L'horreur, naturellement présente dans l'esprit d'un enfant, s'était nourrie de cette image : la nuit, au moment de m'endormir, j'entendais le bruit de leurs sabots qui descendaient les Balkans au galop.

Qui aurait pu imaginer que les horreurs que je verrais seraient bien différentes, bien plus terribles que des chevaux galopant dans les rues de Rome ! Petite, quand je lisais ce livre, je me livrais à de grands calculs pour savoir si, étant donné mon âge, j'arriverais jusqu'à l'an 2000. Quatre-vingt-dix ans m'apparaissait comme un âge plutôt avancé mais possible à atteindre. Cette idée me procurait une sorte d'ivresse, un léger sentiment de supériorité sur tous ceux qui n'atteindraient pas l'an 2000.

A présent que nous y sommes presque, je sais que je n'y arriverai pas. Est-ce que j'éprouve du regret, de la nostalgie ? Non, je suis seulement très fatiguée, de toutes les merveilles annoncées, je n'en ai vu s'accomplir qu'une seule : la petite bombe ultra-puissante. Je ne sais pas si cela arrive à tout le monde les derniers jours de la vie, cette sensation soudaine d'avoir vécu trop longtemps, d'avoir trop vu, trop entendu. Je ne sais pas si cela arrivait aux hommes du Néolithique comme aux hommes d'aujourd'hui. Au fond, en pensant à ce siècle presque entier que j'ai traversé, j'ai dans l'idée que, d'une certaine façon, le temps a subi une accélération. Un jour est un jour, la nuit est toujours trop longue par rapport au jour, un jour est trop long par rapport aux saisons. C'est vrai maintenant, comme ça l'était durant le Néolithique. Le soleil se lève et se couche. Sur le plan astronomique, s'il y a une différence, elle est minime.

Et pourtant j'ai l'impression que, à présent, tout s'est accéléré. L'histoire avance très vite, elle nous bombarde avec des événements sans cesse différents. A la fin de chaque journée on se sent plus fatigué ; au terme d'une vie, épuisé. Tu n'as qu'à penser à la révolution d'Octobre, au communisme ! Je l'ai vu naître, à cause des bol-cheviks j'ai eu des insomnies ; je l'ai vu se répandre dans plusieurs pays et diviser le monde en deux grosses tranches, ici le blanc et là le noir – le blanc et le noir en lutte perpétuelle – et devant cette lutte nous sommes restés le souffle suspendu : il y avait la bombe, elle était déjà tombée mais elle pouvait tomber à nouveau n'importe quand. Puis tout à coup, un jour comme les autres, j'allume la télévision et je vois que tout cela n'existe plus, on supprime les murs, les barbelés, on abat les statues ; en moins d'un mois la grande utopie du siècle est devenue un dinosaure. Elle est embaumée, désormais inoffensive dans son immobilité, elle est au milieu d'une salle et tous passent devant elle en disant : comme elle était grande, oh, comme elle était terrible !

Je parle du communisme, mais j'aurais pu prendre n'importe quel autre exemple, j'en ai tellement vu passer, et il n'en est rien resté. Tu comprends, à présent, pourquoi je dis que le temps s'est accéléré ? Pendant le Néolithique, que pouvait-il bien se passer au cours d'une vie ? La saison des pluies, celle des neiges, la saison du soleil et les invasions de sauterelles, quelque escarmouche sanglante avec des voisins peu sympathiques, peut-être la chute d'un petit météorite et son cratère fumant. Au-delà de son propre territoire, au-delà du fleuve il n'existait rien d'autre ; comme on ignorait les dimensions du monde, le temps, forcément, était plus lent.

« Puisse-tu vivre des années intéressantes », disent les Chinois, à ce qu'il paraît. Un vœu de bonheur ? Je ne crois pas, cela ressemble plutôt à

217

une malédiction. Les années intéressantes sont les plus inquiètes, celles durant lesquelles il arrive beaucoup de choses. Moi, j'ai vécu des années très intéressantes, mais celles que tu vivras le seront peut-être encore plus. Même si c'est une pure convention astronomique, le changement de millénaire s'accompagne toujours, semble-t-il, d'un grand chambardement.

Le 1ᵉʳ janvier de l'an 2000, les oiseaux se réveilleront sur les arbres à la même heure que le 31 décembre 1999, ils chanteront de la même façon et dès qu'ils auront fini de chanter, comme la veille, ils iront en quête de nourriture. Mais pour les hommes tout sera différent. Peut-être – si le châtiment prévu n'a pas encore eu lieu – s'appliqueront-ils, de toute leur bonne volonté, à la construction d'un monde meilleur. En sera-t-il ainsi ? Peut-être, ce n'est pas sûr. Jusqu'ici, les signes que j'ai pu voir sont variés et se contredisent tous. Certains jours, j'ai l'impression que l'homme n'est qu'un gros singe livré à ses instincts et qui, malheureusement, actionne des machines sophistiquées et très dangereuses. A d'autres moments, au contraire, j'ai l'impression que le pire est déjà passé et que la meilleure partie de l'esprit commence à émerger. Quelle hypothèse sera la bonne ? Allez savoir, peut-être aucune, peut-être que la première nuit de l'an 2000, le Ciel, pour punir l'homme de sa bêtise, pour le punir d'avoir gaspillé ses potentialités, déversera sur la Terre une terrible pluie de feu et de cendres.

En l'an 2000 tu n'auras que vingt-quatre ans et tu verras tout cela alors que, moi, j'aurai déjà disparu, emportant dans la tombe ma curiosité insatisfaite. Seras-tu prête à affronter les temps nouveaux, en seras-tu capable ? Si à l'instant même une fée descendait du ciel et me demandait d'exprimer trois vœux, sais-tu ce que je lui demanderais ? Je lui demanderais de me transformer en loir, en mésange, en araignée domestique, en quelque chose qui, sans que tu le voies, vivrais près de toi. Je ne sais pas ce que sera ton avenir, je n'arrive pas à l'imaginer, et comme je t'aime, je souffre beaucoup de ne pas le savoir. Les rares fois où nous en avons parlé tu ne le voyais pas en rose : avec le caractère absolu de l'adolescence, tu étais persuadée que le malheur te poursuivait et qu'il te poursuivrait toujours. Je suis convaincue du contraire. Pourquoi donc, te demanderastu, quels signes me permettent d'accréditer cette idée folle ? C'est à cause de Buck, mon trésor, toujours et uniquement à cause de Buck. Parce que, quand tu l'as choisi au chenil, tu croyais n'avoir choisi qu'un chien parmi tant d'autres. Pendant ces trois jours, en réalité, tu as mené à l'intérieur de toi une bataille bien plus grande, bien plus décisive : entre la voix des apparences et celle du cœur, sans le moindre doute, sans la moindre hésitation, tu as choisi celle du cœur.

A ton âge, j'aurais probablement choisi un chien élégant, au poil doux, j'aurais choisi le plus noble et le plus parfumé, un chien avec lequel je me serais promenée pour susciter l'envie. Mon manque d'assurance, le milieu dans lequel j'avais vécu m'avaient déjà livrée à la tyrannie des apparences.

21 décembre

De cette longue inspection au grenier, je n'ai rapporté que la crèche et le moule à gâteau qui a survécu à l'incendie. D'accord pour la crèche, diras-tu, c'est Noël, mais le moule à gâteau ? Ce moule appartenait à ma grand-mère, c'est-à-dire à ta trisaïeule, et c'est le seul objet qui me soit resté de toute l'histoire des femmes de notre famille. Il a séjourné si longtemps au grenier qu'il est très rouillé, je l'ai tout de suite apporté à la cuisine et, en me servant de ma main valide et d'éponges spéciales, j'ai essayé de le nettoyer dans l'évier. Imagine combien de fois dans sa vie il est entré dans le four et en est sorti, combien de fours différents et de plus en plus modernes il a connus, combien de mains différentes et pourtant semblables l'ont rempli de pâte. Je l'ai descendu pour qu'il vive encore, pour que tu l'utilises et que peut-être, à ton tour, tu le laisses en héritage à tes filles, afin que, dans son histoire d'humble

221

objet, il résume et rappelle l'histoire de nos généra-
rations.

Dès que je l'ai vu au fond du coffre, je me suis
souvenue de la dernière fois où nous avons été
heureuses ensemble. C'était quand ? Il y a un an,
peut-être un peu plus. Au début de l'après-midi,
tu étais entrée dans ma chambre sans frapper, moi
j'étais allongée sur le lit, les mains posées sur ma
poitrine et toi en me voyant tu avais éclaté en
sanglots sans aucune retenue. Tes sanglots m'ont
réveillée. « Qu'y a-t-il, t'ai-je demandé en m'as-
seyant. Que se passe-t-il ? – Il y a que tu vas
bientôt mourir, m'as-tu répondu en pleurant
encore plus fort. – Grands dieux, pas trop tôt j'espère, t'ai-je dit en riant, puis j'ai ajouté : Tu sais
quoi ? Je vais t'apprendre quelque chose que je
sais faire et toi non, comme ça quand je n'y serai
plus tu le feras et tu te souviendras de moi. » Je
me suis levée et tu as jeté tes bras autour de mon
cou. « Alors, t'ai-je dit pour dissiper l'émotion
qui me prenait à mon tour, que veux-tu que je
t'apprenne ? » En essuyant tes larmes, tu as réfléchi un peu, puis tu as dit : « Un gâteau. » Nous
sommes donc allées dans la cuisine et avons
entamé une longue bataille. Pour commencer, tu
ne voulais pas mettre de tablier, tu disais : « Si
j'en mets un, je devrai ensuite mettre des bigou-
dis et des pantoufles, quelle horreur ! » Puis,
quand il a fallu monter les blancs en neige, tu as

222

eu mal au poignet, tu étais furieuse parce que le beurre ne se mélangeait pas bien avec les jaunes, parce que le four n'était jamais assez chaud. En léchant la spatule avec laquelle j'avais fait fondre le chocolat, je me suis barbouillé le nez de marron. En me voyant, tu as éclaté de rire. « A ton âge, disais-tu, tu n'as pas honte ? Tu as le nez marron comme celui d'un chien ! »

Pour faire ce simple gâteau, il nous a fallu un après-midi entier, la cuisine était dans un état lamentable. Soudain, entre nous, il y avait une grande légèreté, une gaieté fondée sur la complicité. Ce n'est que quand le gâteau a enfin été mis au four, quand tu l'as vu brunir tout doucement à travers la vitre, que soudain tu t'es rappelée pourquoi nous l'avions fait, et tu t'es remise à pleurer. Devant le four, je tâchais de te consoler. « Ne pleure pas, t'ai-je dit, c'est vrai que je m'en irai avant toi mais quand je ne serai plus là, je serai encore présente, je vivrai dans ta mémoire avec les beaux souvenirs : tu verras les arbres, le potager, le jardin, et tu te souviendras de tous les moments heureux que nous avons passés ensemble. La même chose t'arrivera si tu t'assieds dans mon fauteuil, si tu prépares le gâteau que je t'ai appris à faire aujourd'hui, et tu me verras devant toi avec mon nez barbouillé de marron. »

22 décembre

Aujourd'hui, après le déjeuner, je suis allée au salon et j'ai commencé à installer la crèche à sa place habituelle, près de la cheminée. Tout d'abord j'ai disposé le papier vert, puis les petits morceaux de mousse séchée, les palmiers, la cabane avec à l'intérieur saint Joseph et la Vierge, le bœuf et l'âne et, dispersés tout autour, la foule des bergers, les femmes avec les oies, les musiciens, les cochons, les pêcheurs, les coqs et les poules, les brebis et les béliers. Avec du ruban adhésif, au-dessus du paysage j'ai fixé le papier bleu du ciel ; l'étoile filante, je l'ai mise dans la poche droite de ma robe de chambre, dans la gauche j'ai glissé les Rois mages ; puis je suis allée à l'autre bout de la pièce et j'ai accroché l'étoile sur le buffet ; au-dessous, un peu plus loin, j'ai disposé la file des Rois et des chameaux.

Tu te rappelles ? Quand tu étais petite, avec

cette cohérence furieuse qui caractérise les enfants, tu ne supportais pas que l'étoile et les trois Rois se tiennent dès le début près de la crèche. Ils devaient rester à distance et avancer tout doucement, l'étoile légèrement en tête et les trois Rois juste derrière. De même, tu ne supportais pas que l'Enfant Jésus soit trop tôt dans la mangeoire et, par conséquent, le 24, à minuit pile, tu le faisais descendre en vol plané du ciel dans l'étable. Pendant que je disposais les brebis sur leur petit tapis vert, je me suis souvenue d'une autre chose que tu aimais faire avec la crèche, un jeu que tu avais inventé toi-même et dont tu ne te lassais jamais. Pour ce jeu, au début, je crois que tu t'étais inspirée de Pâques. A Pâques, en effet, j'avais l'habitude de cacher les œufs colorés dans le jardin. Pour Noël, à la place des œufs tu cachais les agneaux, quand j'avais le dos tourné tu en prenais un dans le troupeau et tu le plaçais dans l'endroit le plus inimaginable, puis tu me rejoignais et tu te mettais à bêler d'une voix désespérée. Alors les recherches commençaient, je laissais ce que j'étais en train de faire et pendant que tu me suivais en riant et en bêlant, je tournais à travers la maison en disant : « Où es-tu, petit agneau égaré ? Montre-toi que je te mette en lieu sûr. »

Et maintenant, mon petit agneau, où es-tu ? Tu es là-bas pendant que je t'écris, parmi les coyotes et les cactus ; quand tu me liras, il est très probable que tu seras ici et que mes affaires seront déjà au grenier. Mes paroles t'auront-elles mise à l'abri ? Je n'ai pas cette prétention, peut-être t'auront-elles seulement irritée, n'auront-elles que renforcé l'idée négative que tu te faisais de moi avant de partir. Peut-être ne pourras-tu me comprendre que lorsque tu seras plus grande, si tu accomplis ce mystérieux parcours qui mène de l'intransigeance à la pitié.

J'ai dit « pitié », pas « chagrin ». Si tu éprouves du chagrin, je descendrai comme les petits esprits malfaisants et je te ferai une foule de méchancetés. J'agirai de même si, au lieu d'être humble, tu es modeste, si tu t'enivres de bavardages creux au lieu de rester silencieuse. Les lampes exploseront, les assiettes s'envoleront des étagères, les culottes se retrouveront sur le lampadaire, de l'aube à la nuit noire je ne te laisserai pas un seul instant de répit.

Mais ce n'est pas vrai, je ne ferai rien. Si je suis quelque part, si je trouve le moyen de te voir, je serai seulement triste, comme je suis triste chaque fois que je vois une vie gâchée, une vie dans laquelle l'amour n'a pas réussi à se frayer un chemin. Prends soin de toi. Chaque fois que, en grandissant, tu auras envie de transformer les erreurs en justice, souviens-toi que la première révolution à accomplir se trouve à l'intérieur de soi, la première et la plus importante. Lutter pour une idée sans avoir aucune idée de soi est l'une des choses les plus dangereuses que l'on puisse faire.

Chaque fois que tu te sentiras perdue, indécise, pense aux arbres, souviens-toi de leur façon de pousser. Souviens-toi qu'un arbre avec beaucoup de feuillage et peu de racines peut être déraciné au moindre coup de vent, tandis que, dans un arbre avec beaucoup de racines et peu de feuillage, la sève court difficilement. Racines et feuillage doivent pousser dans les mêmes proportions, tu dois être dans les choses et au-dessus, ainsi seulement tu pourras offrir ombre et refuge, te couvrir de fleurs et de fruits quand ce sera la saison.

Et puis, quand plusieurs routes s'offriront à toi et que tu ne sauras pas laquelle choisir, n'en prends pas une au hasard, mais assieds-toi et attends. Respire profondément, avec confiance, comme le jour où tu es venue au monde, sans te laisser distraire par rien, attends encore et encore. Ne bouge pas, tais-toi et écoute ton cœur. Puis, quand il te parlera, lève-toi et va où il te porte.

Table

Opicina, 16 novembre 1992 11
18 novembre 25
20 novembre 37
21 novembre 57
22 novembre 73
29 novembre 89
30 novembre 105
1er décembre 119
4 décembre 129
10 décembre 155
12 décembre 185
16 décembre 197
20 décembre. 211
21 décembre 221
22 décembre 225

Achevé d'imprimer en juin 1995
sur presse CAMERON
dans les ateliers de B.C.I.
à Saint-Amand (Cher)

N° d'Édit. : 12522. — N° d'Imp. : 1/1473.
Dépôt légal : mars 1995.
Imprimé en France